HIJOS DE LA SELVA
SONS OF THE FOREST

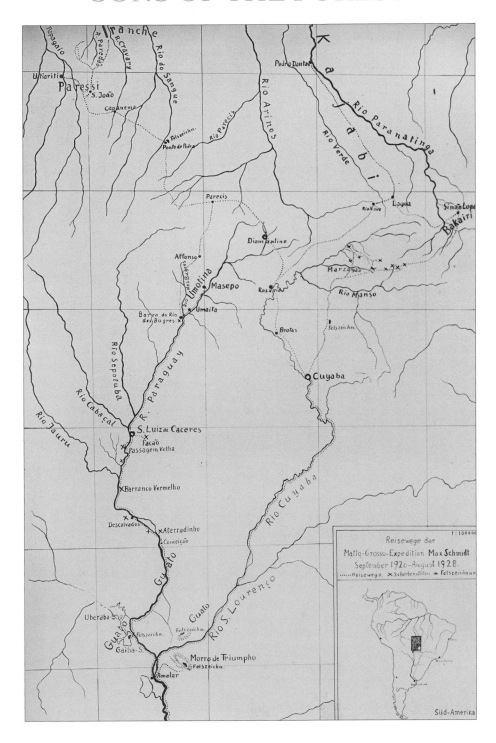

HIJOS DE LA SELVA
SONS OF THE FOREST

La fotografía etnográfica de Max Schmidt | The Ethnographic Photography of Max Schmidt

Federico Bossert
Diego Villar

Ed. Viggo Mortensen

Perceval Press

ISBN 978-0-9895616-0-0
© 2013 Perceval Press

Perceval Press
1223 Wilshire Blvd., Suite F
Santa Monica, CA 90403
www.percevalpress.com

Editor: Viggo Mortensen
Asistente editorial / Assistant Editor: Walter Mortensen
Revisora, inglés / Copy Editor, English: Ruth Evans Lane
Revisores, español / Copy Editors, Spanish: John Hillary Palmer, Daniel Ortiz
Diseño Gráfico / Design: Michele Perez
Traducción de la introducción al inglés por John Hillary Palmer
English translation of introduction by John Hillary Palmer

Impreso en España en Gráficas Jomagar S.L.
Printed in Spain at Gráficas Jomagar S.L.

Foto de portada / Cover Photo: Anciano nivaclé con sombrero, aros, collares, pulseras, bolso de cuero y chiripá tejido en telar (Esteros, 1935) / Nivaclé elder
   wearing hat, earrings, necklaces, bracelets, hide shoulder bag, and loom-woven chiripá wrap (Esteros, 1935)
Foto en página i / Photo page i: Mapa de la expedición al Mato-Grosso (1927-1928) / Map of Mato Grosso expedition (1927–28)
Foto en página viii-1 / Photo page viii-1: Canoa guató en el Río Caracará (Max Schmidt, 1910–11) / Guató pirogue on the Caracará River (Max Schmidt, 1910–11)
Foto en páginas 54–55 / Photo page 54–55/: Muchachos nivaclés con dos grandes troncos, tradicionalmente ahuecados y usados como recipientes de bebida
   para las fiestas (1935) / Nivaclé youths with two large tree trunks, traditionally hollowed out for use as drink receptacles at feasts (1935)
Fotos de libretas, mapas, negativos y tejidos de Max Schmidt/Photos of Max Schmidt's notebooks, maps, negatives, and textiles: V. M.

Queremos agradecer, en primer lugar, a Adelina Pusineri, Raquel Zalazar y a todo el personal del Museo Etnográfico Andrés Barbero de Asunción del Paraguay, sin cuya invalorable colaboración esta obra no hubiese resultado posible. También a la Fundación La Piedad, por permitirnos generosamente acceder al archivo del Museo y utilizar su fondo fotográfico y documental. Agradecemos también a John Hillary Palmer por revisar el texto y traducirlo al inglés. Finalmente, a quienes colaboraron aportando indicaciones bibliográficas o bien comentando tanto las fotografías como algunas de las versiones preliminares del texto: Rodrigo Montani, Marina Vanzolini Figueiredo, Lorena Córdoba, Isabelle Combès, Michael Kraus, Manuela Fischer, Barbara Göbel, Mónica Ferraro, el personal del Museo Etnográfico de Buenos Aires y la biblioteca del Instituto Iberoamericano de Berlín.

Contenido |
Contents

We wish firstly to thank Adelina Pusineri, Raquel Zalazar, and all the staff of the Andrés Barbero Ethnographic Museum in Asunción, Paraguay, for their generous collaboration—as multifarious as it has been invaluable—in the concretion of this work. Likewise, we are grateful to the La Piedad Foundation for generously having given us access to its archives, as well as permission to reproduce a selection of its manuscripts and photographic holdings. We also thank John Hillary Palmer for revising the text and translating it into English. We are indebted, finally, to those who have contributed bibliographical references or commented on the illustrations and/or on earlier versions of the text: Rodrigo Montani, Marina Vanzolini Figueiredo, Lorena Córdoba, Isabelle Combès, Michael Kraus, Manuela Fischer, Barbara Göbel, Mónica Ferraro, the staff of the Ethnographic Museum in Buenos Aires, and the librarians of the Ibero-American Institute in Berlin.

Prefacio

Nun versteh' ich den Menschen erst, da ich ferne von ihm und in der Einsamkeit lebe.

Ahora solo entiendo al hombre cuando estoy lejos de él y vivo en soledad.

Now I only understand man when I am far away from him and living in solitude.

—FRIEDRICH HÖLDERLIN

Las fotografías y los documentos de Max Schmidt reproducidos en este libro pertenecen a su legado en el Museo Etnográfico Andrés Barbero, de Asunción, Paraguay. Las fotografías provienen de negativos con soportes de vidrio, originalmente preparados y procesados por Max Schmidt. Siempre que fue posible, los epígrafes de las fotografías fueron generados incluyendo la información de las fichas del catálogo fotográfico del museo, elaboradas originalmente por el propio Schmidt y luego sistematizadas por Branislava Susnik. Las placas de vidrio fueron transportadas a los EE.UU. para ser fotografiadas con la más alta resolución digital posible. Este trabajo se llevó a cabo con la ayuda de Hugh Milstein y la compañía Digital Fusion en Culver City, California. La selección preliminar de las fotografías realizada en Asunción se finalizó en Los Ángeles después de una evaluación de los resultados de la reproducción y restauración digital. La esperanza de los autores y de Perceval Press es que este libro tenga un valor tanto académico como artístico, y confiamos en que el trabajo etnográfico pionero y las excepcionales imágenes de Max Schmidt permitan alcanzar ese objetivo.
—Viggo Mortensen

Preface

fig. 1

The photographs and documents of Max Schmidt reproduced in this book belong to his legacy in the Museo Etnográfico Andrés Barbero, of Asunción, Paraguay. The photographs come from glass-plate negatives originally prepared and processed by Max Schmidt. Whenever possible, the captions for the photographs were generated including the information on the index cards from the museum's photographic catalogue, originally produced by Schmidt himself and later systematised by Branislava Susnik. The glass plates were transported to the United States to be photographed with the highest possible digital resolution. This task was completed with the assistance of Hugh Milstein and the company Digital Fusion in Culver City, California. The preliminary selection of the photographs made in Asunción was finalised in Los Angeles following an evaluation of the results of the digital reproduction and restoration. The hope of the authors and of Perceval Press is that this book have as much an academic value as an artistic one, and we trust that the pioneering ethnographic work and exceptional images of Max Schmidt may help us attain that goal.
—Viggo Mortensen

fig. 1   Revisando material fotográfico en Asunción en 2009 (de izq.: Viggo, Federico, Raquel, Diego & Adelina)
Reviewing photographic materials in Asunción in 2009 (from left: Viggo, Federico, Raquel, Diego, and Adelina)

Introducción

No es mucho lo que conocemos acerca de Max Schmidt fuera de sus actividades profesionales; es muy probable, de todos modos, que la vida de este abnegado sabio se resuma bien en sus trabajos etnológicos. Su notable dedicación al trabajo parece haberlo mantenido al margen de las intrigas universitarias en Berlín, y por lo tanto de los escritos históricos generales sobre esa escuela antropológica, que por lo general apenas le dedican algunos comentarios fugaces. Tras su solitaria muerte en Asunción, algunas noticias necrológicas en revistas de antropología –en particular, fuera del mundo germanoparlante, la publicada por su amigo Herbert Baldus– compusieron un sencillo y repetido epitafio. Entre los breves escritos biográficos que existen hay dos que merecen una atención mayor: en primer lugar, un pequeño libro de Branislava Susnik que incluye una valiosa bibliografía crítica; en segundo lugar, y ante todo, una noticia autobiográfica del propio Schmidt, escrita poco antes de su muerte para un artículo periodístico y publicada en portugués algunos años más tarde.[1] Al parecer poseía una personalidad retraída, y este documento constituye un *rara avis* en su obra; de hecho, casi todos los datos que componen su biografía oficial proceden de estas páginas. Aquí seguiremos de cerca, entonces, el orden biográfico dictado por ese relato, demorándonos en el comentario de algunos eventos y ante todo en aquellas páginas de sus diarios de viaje que mejor nos permiten conocerlo. Pues su obra –compuesta por lo general de análisis puntuales o comparativos de determinados aspectos de la lengua, la cultura material o las tecnologías indígenas basados en sus propias observaciones de campo y en las colecciones del Museo de Berlín– incluye también cientos de páginas de relatos de viaje que, como veremos, muchas veces ganan un tono vívido y aun humorístico, y en los que por momentos se vislumbra claramente la silueta del autor.

1. La formación en Alemania

Hijo de un jurista protestante, Max Schmidt nació en Altona el 16 de diciembre de 1874. Comenzó a cursar la carrera de medicina, pero luego siguió los pasos paternos y estudió derecho y ciencias económicas en las universidades de Berlín, Tübingen y Kiel. Tras recibirse en leyes trabajó brevemente como funcionario en la corte provincial de Blankanese hasta 1899, mientras preparaba una tesis sobre la razón jurídica en el derecho romano. No es difícil imaginar que su carácter tímido y melancólico –que describen sus amigos Hans Findeisen y Herbert Baldus–, así como el espíritu romántico y aventurero que conocemos por sus libros de viaje, se adaptaran mal a la burocracia de la administración pública europea.[2] Fue así que ese mismo año solicitó una licencia, comenzó a estudiar filosofía en Berlín y se inscribió como voluntario en el Museo de Etnología de esa ciudad; allí conoció a quien sería su gran maestro, el etnólogo Karl von den Steinen, quien comenzaría a inspirarlo con historias sobre el remoto, insospechado Río Xingu del Brasil central.

1.a. Adolf Bastian y la tradición etnológica alemana

En las postrimerías del siglo XIX había en Berlín un cierto clima de efervescencia etnológica. Para comprender las ideas y las elecciones de Schmidt hay que decir algo sobre ese contexto académico, político y social. En mayor o menor medida, todas las escuelas que conformaron la antropología alemana hasta la Segunda Guerra Mundial abrevaban en un conjunto de nociones compartidas cuyo

1. Susnik 1991; Schmidt 1955.

2. Susnik 1991: 8; Susnik 1984: 180.

fig. 2

Introduction

Little is known about Max Schmidt outside his profesional life, though the ethnological work of this ascetic scholar is, in all probability, the synthesis of the person he was. His dedication to his work kept him apart from the prevailing university controversies in Berlin at the time, just as it has resulted in his being, as a rule, only fleetingly mentioned in the historiography of that anthropological school. After his solitary death in the Paraguayan capital, Asunción, scattered obituaries that appeared in anthropological journals comprise an epitaph that is as simple as it is unvaried. Foremost among them, outside the German-speaking world, is the tribute published by his friend Herbert Baldus. Of the brief biographical accounts of his life, two are of particular interest: a short book written by Branislava Susnik, which includes a useful critical bibliography, and an autobiographical note written by Schmidt himself shortly before his death.[1] Intended as a journalistic article and published a few years later in Portuguese, the latter document is a *rara avis* in the output of a man of evidently reserved character. It is also the source of almost all the details that inform his official biography, and we here follow closely the life history it maps out, pausing only to reflect on certain events and on those pages of his travel diaries that best enable us to know their author. Although his writings consist mainly of case-specific or comparative analyses of indigenous languages, material cultures, and technologies—analyses based both on field observation and on museum collections—they also include hundreds of pages that narrate the events of his fieldwork. From those pages—often, as we shall see, vibrant and humourous—it is possible to discern, albeit intermittently, the silhouette of Max Schmidt.

1. The formative period in Germany

Born on 16 December 1874 in the city of Altona in Germany, the son of a Protestant jurist, Schmidt as a young man began a degree in medicine. Following, though, in his father's footsteps, he soon transferred to law and economic science at the universities of Berlin, Tübingen, and Kiel. After graduating, he worked for a brief period as an employee in the provincial court in Blankanese, while at the same time preparing a thesis on the legal rationale behind Roman law. It is not difficult to imagine that the timid, melancholic personality described by his friends Hans Findeisen and Herbert Baldus, combined with the Romantic spirit of adventure conveyed by his travel writings, was ill-adapted to European state bureaucracy.[2] So it was then, in 1899, he applied for leave, embarked on the study of philosophy in Berlin, and registered as a volunteer in the city's Ethnology Museum. There he became acquainted with his future mentor, the ethnologist Karl von den Steinen, who inspired in him a fascination with the remote and undreamt—of Xingu River in central Brazil.

1.a. Adolf Bastian and the German ethnological tradition

In the closing years of the nineteenth century, a climate of effervescence pervaded Berlinese ethnology. In order to understand Schmidt's ideas and his chosen path, a word has to be said about that social, political, and academic context. Up until the Second World War, all the various schools of German anthropology drew, to a greater or lesser extent, on a cluster of shared ideas based on the concept of a "national character" (*Volksgeist*). Born of a

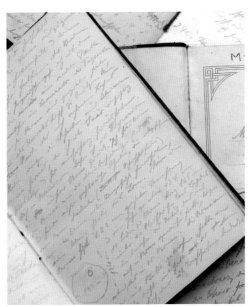

fig. 3

1. Susnik 1991; Schmidt 1955.

2. Susnik 1991: 8; Susnik 1984: 180.

cimiento era la idea de *Volksgeist* ("alma del pueblo"), forjada progresivamente por una tradición filosófica que iba desde Hegel a Herder, según la cual cada grupo humano es producto de una historia particular y encarna una personalidad (o "alma") también particular, que hace que valores, creencias, convenciones estéticas e idioma conformen un todo coherente que constituye el objeto último de la investigación. En principio, esto representaba una afirmación del relativismo cultural con profundas consecuencias metodológicas: las ciencias humanas debían interesarse por cada detalle de cada uno de los pueblos estudiados. Esta concepción de la diversidad cultural contrastaba notablemente con la prevaleciente en las principales academias europeas, donde el auge de la biología darwiniana condujo al desarrollo de teorías evolucionistas, que, *grosso modo*, percibían las diferencias culturales como escalas de desarrollo en la inexorable evolución de la humanidad. En abierta oposición a esta idea, a lo largo del siglo XIX pensadores alemanes o austriacos como Wilhelm von Humboldt, Leopold von Ranke, Wilhelm Dilthey, Friedrich Hebart o Adolf Bastian construyeron una epistemología para las ciencias humanas que se mantendría fiel a la máxima de Herder: la unidad de la especie humana sólo puede entenderse y estudiarse a través de su diversidad.[3] De esta epistemología debemos mencionar dos aspectos que encontraremos latentes en la obra de Schmidt: en primer lugar, la importancia del estudio de la lengua como herramienta privilegiada para acceder a las culturas; en segundo lugar, el interés por las relaciones que existen entre esas culturas y el medioambiente.[4]

Entre los grandes sabios que orbitaban en el horizonte de la etnología alemana a finales del siglo XIX, el que parece haber influido más profundamente en Schmidt es Adolf Bastian. Por un lado, porque fundó la escuela de pensamiento y algunas de las instituciones mismas en las cuales Schmidt se formaría; pero, además, porque había sido el gran maestro de su propio maestro, Karl von den Steinen, a quien transmitió la pasión por las exploraciones etnográficas que luego Schmidt heredaría.[5] En sus escritos teóricos Bastian resolvía la vieja paradoja del pensamiento etnológico alemán (la unidad de la especie humana a través de la diversidad) proponiendo una unidad psicológica de la humanidad, según la cual ciertas "ideas elementales" (*Elementargedanken*) estaban presentes en todas las culturas bajo la forma de "ideas del pueblo" o "ideas folk" (*Völkergedanken*); es decir, manifestaciones mentales colectivas de sociedades concretas, que generalmente se cifraban en las creencias religiosas.[6] Fiedermutz-Laun resume bien el esquema:

> Las formas fundamentales de todos los fenómenos culturales, las 'ideas elementales', se manifiestan de forma análoga en diversos rincones del mundo, pero jamás en forma pura: no podemos deducirlas más que por abstracción, a partir de sus variaciones locales o 'ideas folk'. Las 'ideas elementales' devienen 'ideas folk' por influencia de factores geográficos e históricos que actúan sobre ellas como estímulos. Bastian ha reunido estos estímulos en otras tantas 'provincias geográficas', unidades espaciales que abarcan el conjunto de los factores geográficos e históricos.[7]

Ahora bien, la verdadera importancia de este esquema –al menos a la hora de sopesar la influencia de Bastian entre sus discípulos– no se encuentra tanto en sus capacidades explicativas como en sus supuestos sobre el objeto de estudio de la etnología y, fundamentalmente, su método de trabajo. Como el objeto de la etnología eran los contenidos mentales plasmados en todas las construcciones culturales (lingüísticas o materiales), todos los fenómenos culturales debían ser considerados ante todo como vehículos y expresiones de pensamiento cuyo significado era preciso desentrañar –lo que contribuye, sin dudas, a explicar los esfuerzos de sus discípulos americanistas por registrar escrupulosamente vocabularios y producciones lingüísticas indígenas. Bastian llegó a afirmar que alguna vez los etnólogos serían capaces

---

3. Bunzl 1996. En consecuencia, la inmensa mayoría de los etnólogos alemanes durante el período imperial eran "campeones del liberalismo y el pluralismo cultural" (Penny y Bunzl, cit. en Gingrich 2005: 88). Este liberalismo al que adherían Bastian y los suyos se componía de ideas románticas e iluministas, y, en el campo de las ciencias del hombre, tomaba posición firme frente a las ideas de raza y evolución (Pfeffer 2007: 77-78). Por supuesto, en algunos casos la resistencia germana a las teorías evolucionistas también puede entenderse como una reacción, de inspiración religiosa o política, ante las teorías anti-creacionistas provenientes de Inglaterra y adoptadas por Marx y Engels (Gingrich 2005: 86).

4. De ahí la "antropogeografía" de Ratzel (según la cual la relación con el medio ambiente es la clave de toda configuración cultural) o la noción de "provincia geográfica" de Bastian (donde un medio ambiente homogéneo provoca la existencia de "ideas folk" similares).

5. Bastian y Steinen se conocieron en 1880 en Hawai: recordando su inesperada conversión a la etnología, Steinen apodaría a su maestro "capturador de almas" (cit. en Thieme 1993: 41; cf. Nordenskiöld 1930: 221). Aquí hay que observar que a pesar de que Schmidt reconocía en Bastian a un campeón infatigable de la etnología, décadas más tarde se sumaría al coro de quienes lamentaban su estilo oscuro, enredado, ecléctico y asistemático (Schmidt 1926: 32; cf. Zimmerman 2007).

6. Köpping 2005: 12.

7. Fiedermutz-Laun 2004: 68. Su influencia directa en este punto parece haber sido el etnopsicólogo Wilhelm Wundt (cf. Schmidt 1926: 29).

philosophical tradition dating back to Johann Gottfried von Herder and Georg Wilhelm Friedrich Hegel, the theory held that every human group is the product of a particular history and encarnates an equally particular character, or "spirit". That character finds expression in the group's values, beliefs, aesthetic conventions, and language, all of which form a coherent whole that it is the ultimate aim of ethnological research to delineate. As a declaration of cultural relativism, the theory had profound methodological consequences, in that it required that the human sciences pay close attention to every detail of each people studied. It was a conception of cultural diversity that contrasted markedly with the predominant current of thought in the main academic centres of Europe. There, Darwinian biology had given rise to the spread of evolutionary theory, according to which cultural differences *grosso modo* were perceived as developmental stages on a scale of inexorable human evolution. In direct opposition to that model, nineteenth-century German and Austrian thinkers such as Wilhelm von Humboldt, Leopold von Ranke, Wilhelm Dilthey, Johann Friedrich Herbart, and Adolf Bastian developed an epistemology for the human sciences which honoured Herder's maxim that the unity of the human species can be studied and comprehended only through its diversity.[3] Two aspects of that epistemology bear mentioning, as they are implicit in Schmidt's writings: the importance of the study of language as a pre-eminent means of acquiring an understanding of a given culture, on the one hand, and, on the other, an interest in the relation between culture and environment.[4]

Among the major figures of late-nineteenth-century German ethnology, Adolf Bastian appears to have been the one who had the profoundest influence on Schmidt. Not only did he found the school of thought—as well as some of the very institutions—in which Schmidt received his training, but he had also taught Schmidt's mentor, Karl von den Steinen, in whom he fired the passion for ethnographic exploration which Schmidt in turn inherited.[5]

In his theoretical writing, Bastian sought to resolve the long-standing paradox of German ethnological thinking (diversity as the key to the unity of the human species) in terms of what he posited as the psychological unity of humankind. He proposed that certain "elementary ideas" (*Elementargedanken*) are present in all cultures in the form of "folk ideas" (*Völkergedanken*), meaning collective representations generally encoded in religious beliefs.[6] The formulation is succinctly summarized by Annemarie Fiedermutz-Laun:

> The "elementary ideas", or fundamental forms of all cultural phenomena, manifest themselves as analogous representations in diverse corners of the world. They do not appear in pure form and must be abstracted from the local variants, or "folk ideas", to which they give birth. "Elementary ideas" become "folk ideas" under the stimulus of geographical and historical factors. Bastian referred such stimuli to corresponding "geographical provinces"—spatial units that encompass those geographical and historical factors.[7]

Bastian's model is of interest—at least in so far as his influence upon his students is concerned—not so much on account of its explanatory capacity as for its underlying principles regarding the object and method of ethnological study. Given that the remit of ethnology was the study of the mental constructs reflected in all cultural manifestations, be they linguistic or material, all cultural phenomena came to be considered as, above all, vehicles and expressions of cognition whose meaning had to be elucidated. This undoubtedly goes some way towards explaining the meticulous lengths to which Bastian's Americanist students went to register indigenous vocabularies and linguistic expressions. Bastian even went so far as to assert that ethnologists would one day be capable of reading into museum collections the modes of thought of the cultures that produced the assembled objects. That

3. Bunzl 1996. The vast majority of German ethnologists during the Imperial period were "champions of liberalism and cultural pluralism" (Penny and Bunzl, in Gingrich 2005: 88). Bastian and his group partook of that liberalism, which drew on Romantic ideas of the Enlightenment and, in the field of human sciences, firmly countered ideas of race and evolution (Pfeffer 2007: 77-78). Needless to say, German resistance to evolutionism can, in some instances, be understood as a religiously or politically inspired reaction to the anti-Creationist theories expounded in England and adopted by Marx and Engels (Gingrich 2005: 86).

4. According to the environmental determinism of Ratzel's "anthropogeography", all cultural configurations are a function of relations with the natural environment. Bastian devised the notion of "geographical provinces", according to which homogeneous natural environments give rise to similar "folk ideas".

5. Bastian and Steinen met in Hawaii in 1880. The meeting prompted Steinen's conversion to ethnology and led to his labelling Bastian a "soul-catcher" (Thieme 1993: 41; cf. Nordenskiöld 1930: 221). It should be mentioned that, despite Schmidt's recognition of Bastian as an indefatigable champion of ethnology, decades later he added his voice to the chorus of those who criticized Bastian's writings for being obscure, convoluted, eclectic, and unsystematic (Schmidt 1926: 32; cf. Zimmerman 2007).

6. Köpping 2005: 12.

7. Fiedermutz-Laun 2004: 68. Here it would seem that Bastian was directly influenced by the ethnopsychologist Wilhelm Wundt (cf. Schmidt 1926: 29).

de leer, en los objetos coleccionados en los museos, los modos de pensamiento de las culturas que los fabricaron. Esta afirmación demasiado optimista sería matizada por sus propios discípulos, que en el ínterin habían aprendido una importante lección en el campo: los únicos capaces de leer esos objetos eran los propios indígenas, y allí residía toda la importancia del trabajo etnológico.[8]

Esta perspectiva de Bastian suponía a la vez una particular relación entre el pensamiento europeo y el indígena. Frente a las ideas evolucionistas, que en la misma época encontraban en las representaciones indígenas una muestra de su retraso cultural, la tesis de la "unidad psíquica" de la especie humana no implicaba únicamente la existencia de determinados contenidos compartidos por todas las sociedades (las "ideas elementales"), sino ante todo una continuidad lógica entre las sociedades tribales y las europeas. Bastian mantuvo la vieja distinción entre los *Naturvölker* ("pueblos naturales") y los *Kulturvölker* ("pueblos culturales"), pero en su esquema el primer término implicaba algo muy diverso de la idea habitual de "salvaje" o "primitivo": no designaba ya una suerte de estado de naturaleza sino apenas una existencia más aislada y una mayor simplicidad de las instituciones sociales; los procesos a investigar –las "ideas sociales"– eran pues los mismos en ambos casos, pero esa investigación resultaba más sencilla entre los *Naturvölker* –cuyo estudio ofrecía ventajas similares a las de un experimento en un laboratorio.[9]

Muy lejos de suponer una diferencia estática e insalvable entre estas categorías, Bastian era consciente de la fragilidad de esas culturas ante el avance colonial y la influencia europea, y esto iba a convertirlo en uno de los más activos promotores de la etnografía de salvataje: arengaba a sus discípulos a recorrer el mundo compilando objetos, mitos, creencias, gramáticas, descripciones de sistemas políticos o económicos antes de que la expansión colonial diluyera las diferencias culturales.[10] De modo que, en la mejor tradición humboldtiana, el trabajo de campo se convertía en la única forma válida de obtener conocimientos etnológicos,

y el viaje por el mundo era mucho más importante que la erudición bibliográfica. Más que en cualquier formulación teórica, en esta lección reside tal vez el principal legado de Bastian: sólo eran válidas las investigaciones estrictamente inductivas, que basaban cada afirmación en evidencias empíricas. Como vemos, entonces, su esquema teórico era programático más que prescriptivo: apenas la justificación de una abnegada ciencia del hombre, estrictamente empírica, atenta a los más ínfimos detalles, llamada a registrar todos los aspectos de todas las culturas del orbe.[11] Las teorías y el hallazgo de leyes empíricas llegarían en una lejana segunda etapa, una vez que se pudiera recorrer y comparar cada eslabón de la historia y la diversidad cultural.

Bastian se ocupó de promover la fundación de las instituciones apropiadas para llevar adelante este ambicioso proyecto. A partir de la década de 1860 comenzaban a organizarse las grandes exhibiciones de materiales etnográficos en los primeros museos antropológicos germanoparlantes: Munich (1868), Leipzig (1869), Viena (1876), Hamburgo (1878). En este contexto favorable, Bastian contribuyó a la fundación del Museo Etnológico de Berlín en 1873 –que dirigiría desde 1886 hasta su muerte en 1905– y fundó la Sociedad Berlinesa de Antropología, Etnología y Prehistoria (*Berliner Gesellschaft für Anthropologie, Ethnologie und Urgeschichte*) en 1869, de la cual Schmidt sería miembro activo.[12] El Museo estaba dedicado a la conservación y el catálogo de la cultura material de todas las sociedades –legado que, como afirma Lowie, "por décadas fue el mayor emporio etnográfico del mundo".[13] En todo caso fue allí donde la etnología berlinesa cobró vida institucional: dado que esta disciplina no sería integrada a la enseñanza universitaria hasta mucho más tarde, a instancias de Bastian el Museo se convirtió en el centro de la investigación etnológica alemana.[14] Además de la colección expuesta al público había una colección mucho más amplia, reservada a los investigadores, y allí harían sus primeras armas muchos de los más eminentes etnólogos: Franz Boas, Leo Frobenius, Paul Radin y por supuesto Max Schmidt, quien en 1919 llegaría

---

8. Así, al describir los objetos ornamentales xinguanos, Steinen afirmaba que "nunca podríamos explicar correctamente estos diseños; uno debe o bien aprender su significado de la propia gente, o bien guardar silencio" (Steinen cit. en Kraus 2007: 144).

9. Köpping 2005: 19; Penny 2002: 23. Existían, por otro lado, razones prácticas, de mera política académica, para esta especialización en los *Naturvölker*: toda una parte de la humanidad había sido soslayada por las humanidades clásicas, y por lo tanto podía convertirse fácilmente en el objeto privilegiado de la flamante etnología (Kraus 2007: 142).

10. Bunzl 1996: 48; Thieme 1993: 45. Una de las características de la etnología "de salvataje" promovida con urgencia por los grandes museos de Europa y Estados Unidos, y que se plasmaría en los objetivos etnográficos de Schmidt, era la obsesión por la autenticidad de las piezas: el anhelo de hallar pueblos que tuvieran el menor contacto posible con las culturas europeas (Penny 2002: 30).

11. Kraus 2007: 148; Penny 2002: 19-20. Glenn Penny rastrea con claridad la filiación humboldtiana de Bastian: "Su lectura del *Kosmos* de Humboldt lo había convencido de que la creación de teorías universales sobre la historia humana eran secundarios frente a la acumulación de conocimiento sobre sus particulares: 'Toda construcción de sistemas' argumentaba durante un discurso en honor de Humboldt 'permanece como mera ilusión metafísica a menos que se acumule conocimiento sobre los detalles' (...) Fue el esfuerzo de Humboldt por crear un esquema totalmente empírico y armónico del mundo lo que inspiró el intento de Bastian por unir todo el conocimiento sobre la historia humana –etnológico, filosófico, psicológico, antropológico e histórico– en una gran síntesis empírica, y por abstenerse de intentar explicaciones teóricas tentativas" (Penny 2002: 21).

12. Gingrich 2005: 84; Lewerentz 2007. Esta Sociedad sería editora de la influyente *Zeitschrift für Ethnologie*, que continúa siendo una de las principales revistas antropológicas en alemán.

13. Lowie 1937: 30. En 1898, por ejemplo, un curador del Museo Británico calcula que las colecciones etnográficas del Museo de Berlín sobrepasaban seis o siete veces a las conservadas en Londres (Penny 2002: 1).

14. Lewerentz 2004: 54.

overly optimistic assertion would later be qualified by his own students, who were to learn an important lesson in the field: namely, that the only group capable of reading these objects were the indigenous groups themselves. Therein lay the relevance of ethnography.[8]

One particularly significant consequence of Bastian's perspective was that it redefined the relation between European and indigenous thought. In contrast to the evolutionist ideas of the period, which saw in indigenous representations a sign of cultural underdevelopment, the theory of the "psychic unity" of the human species implied not only the existence of concepts common to all societies ("elementary ideas"), but also—and above all—a logical continuity between tribal and European societies. Bastian upheld the age-old distinction between *Naturvölker* ("people of nature") and *Kulturvölker* ("people of culture"), but without the connotations of "primitivism" and "savagery" conventionally attached to the former category. According to his analysis, the term referred not to some kind of state of nature, but just to a more isolated existence and to greater simplicity as regards social institutions. The topic of enquiry, therefore, was the same in both cases: namely, the "social ideas" of the respective peoples. *Naturvölker* differed only to the extent that, among them, the enquiry was less complicated. Their study had advantages similar to those afforded by a laboratory experiment.[9]

In keeping with his denial of an insuperable, static divide between the two categories (indigenous/European), Bastian was conscious of the fragility of indigenous cultures under the influence of encroaching European colonization. This was to convert him into one of the most active advocates of salvage anthropology. He urged his students to explore the globe in pursuit of objects, myths, beliefs, grammars, and political and economic systems before cultural differences could be eroded by colonial expansion.[10] True to the tradition established by Humboldt, fieldwork thus became the only valid method of acquiring ethnological knowledge. Bibliographical erudition was secondary to direct contact with remote peoples. It is this lesson, rather than any theoretical dogma, that characterizes Bastian's legacy: research is valid only if it is strictly inductive, based on empirical evidence. As can be seen, his theoretical scheme was more programmatic than prescriptive—at most, a call for a painstaking science of humanity, rigorously empirical and attentive to the last detail, aimed at registering every aspect of every culture across the globe.[11] Theoretical elaboration and the discovery of scientific laws would follow later, in a second stage that could be entered upon once every link in the chain of human history and cultural diversity had been described and compared.

Bastian took it upon himself to foment the creation of institutions suited to the task of carrying out his ambitious project. During the 1860s and 1870s large exhibitions of ethnographic material began to be put on display in the earliest anthropological museums in the German-speaking world: Munich (1868), Leipzig (1869), Vienna (1876), Hamburg (1878). In that propitious context, Bastian contributed to the founding, in 1873, of the Ethnological Museum of Berlin, of which he would be the director from 1886 to his death in 1905. He had also set up in 1869, the Berlin Society for Anthropology, Ethnology, and Prehistory (*Berliner Gesellschaft für Anthropologie, Ethnologie und Urgeschichte*), of which Schmidt would become an active member.[12] The Berlin Museum, dedicated to the conservation and classification of all material cultures on earth, assembled a collection that, as Robert Lowie states, "for decades was the largest ethnographic emporium in the world".[13] It was there that Berlin ethnology came into institutional being. Through the offices of Bastian, the museum turned into the centre of German ethnological research, which was only much later to become a university discipline.[14] Besides the artefacts on public view, it held a far broader collection reserved for researchers. Here it was that several eminent ethnologists cut their first

---

8. With respect to Xingu ornamental designs, Steinen asserted, for example, that "we would never have explained these patterns correctly, one must learn their meaning from the people themselves or refrain in silence" (quoted in Kraus 2007: 144).

9. Köpping 2005: 19; Penny 2002: 23. The specialization in *Naturvölker* also responded to the pragmatic concerns of academic politics. In view of the fact that the "people of nature"—a significant sector of humanity—had always been sidelined by the classical humanities, their study offered the fledgling discipline of ethnology a remit of its own (Kraus 2007: 142).

10. Bunzl 1996: 48; Thieme 1993: 45. The salvage anthropology promoted by European and North American museums was characterized, among other things, by an obsession with the authenticity of the pieces collected. That obsession, which made its mark on Schmidt's ethnographic objectives, resulted in a search for peoples that had had the least possible contact with European cultures (Penny 2002: 30).

11. Kraus 2007: 148; Penny 2002: 19-20. Glenn Penny (2002: 21) traces very clearly Bastian's links with Humboldt: "His reading of Humboldt's *Kosmos* had convinced him that the creation of universal theories about human history was secondary to the accumulation of knowledge about its particularies: 'All systems-construction', he argued during his speech in honor of Humboldt, 'remains mere metaphysical illusion unless knowledge of the details has been accumulated' [. . .]. It was Humboldt's effort to fashion a total empirical and harmonic picture of the world that inspired Bastian's attempt to unite all knowledge of human history—ethnological, philosophical, psychological, anthropological, and historical—into a huge empirical synthesis, and to abstain from issuing temptative explanatory theories".

12. Gingrich 2005: 84; Lewerentz 2007. The Society was to publish the *Zeitschrift für Ethnologie*, which continues to be one of the principal German-language anthropological journals.

13. Lowie 1937: 30. In 1898, a curator of the British Museum calculated that the Berlin Museum's ethnographic collection was seven or eight times larger than that housed in London (Penny 2002: 1).

14. Lewerentz 2004: 54.

a estar a cargo de la colección sudamericana destinada a la investigación.

Centradas en los flamantes museos y sociedades, las primeras generaciones de etnólogos que surgieron en Alemania durante la segunda mitad del siglo XIX formaban una suerte de contracultura intelectual que competía abiertamente con las viejas elites universitarias. Tanto por su extracción social –a menudo, como en el caso de Schmidt, burguesa y provinciana–, por su formación –que exaltaba el valor del conocimiento de campo en detrimento de la mera erudición bibliográfica–, como por su abierta desconfianza en la idea elitista de *Kultur* –la cultura clásica impugnada por la noción etnológica de culturas en plural–, los nuevos académicos suponían una grave alteración de las viejas estructuras. Si bien durante el cambio de siglo la etnología alemana había sido institucionalizada a través de los museos, y comenzaba a integrarse al *status quo* académico de las universidades, la carrera etnológica siguió apegada al programa de Bastian, que privilegiaba el conocimiento directo a través de los viajes –lo cual explica que Schmidt partiera hacia el Brasil apenas unos meses después de comenzar sus estudios en el Museo de Berlín.[15]

Podemos preguntarnos si este auge de la etnología no guardaba relación –tal como ocurría en otras potencias europeas– con la expansión colonial. En efecto, en las últimas décadas del siglo XIX, Berlín encarnaba la ambición de devenir capital de un imperio, y en este contexto nacieron las principales instituciones etnológicas de la ciudad. El Museo Etnológico de Berlín era, pues, un "Museo Real", y por lo tanto respondía a los intereses del Estado. Este carácter suponía ciertos privilegios que sin dudas acrecentaron la riqueza de sus colecciones; ante todo, el museo podía incorporar las piezas que quisiera de cualquier colección reunida por expediciones o instituciones financiadas por el Estado alemán.[16] Dicho esto, también debemos observar que la situación colonial alemana era mucho más limitada que la de otras potencias europeas, y que por lo tanto su impacto sobre la práctica etnológica parece haber sido

mucho menor.[17] Mientras que en Inglaterra las necesidades coloniales favorecían el desarrollo de nuevos intereses antropológicos –i.e. la escuela funcionalista–, en Alemania la antropología podía perfectamente seguir practicando una etnología "de salvataje", enciclopedista, basada en teorías e intereses mucho menos "aplicados".[18] Ciertamente, también en el caso alemán los proyectos coloniales tuvieron injerencia en la formación de la disciplina etnológica y el desarrollo de sus instituciones, sobre todo a partir del cambio de siglo. Pero ni la creación ni el rápido crecimiento de los museos alemanes pueden explicarse como una simple secuela de afanes imperiales: el gran museo de Berlín, por ejemplo, fue creado más de una década antes de la primera posesión de territorios coloniales, e incluso fue proyectado antes de la unificación nacional alemana. Por otro lado, como hemos visto, los ideales de Bastian y su grupo iban por carriles muy lejanos al colonialismo: antes bien condensaban el arraigado humanismo cosmopolita alemán cuyo gran representante en la etnología había sido Alexander von Humboldt. Por estas razones, muchos etnólogos alemanes realizaron sus investigaciones de campo fuera de los territorios coloniales del Reich. Así, lejos de las ambiciones coloniales del imperio, el interés marcadamente americanista también distinguía al círculo berlinés de Schmidt de otras escuelas etnológicas de Alemania o Austria, donde las resonancias coloniales eran mucho más evidentes –en particular, los estudios sobre África y Melanesia.[19]

1.b. La escuela difusionista

En esos años Bastian no era el único etnólogo influyente en Berlín. El empirismo inductivo de su programa –opuesto a todo dogma teórico que redujera la infinita variedad de los hechos culturales a una fórmula preestablecida– dejaba libre un amplio espacio para teorías con mayores ambiciones explicativas como la "antropogeografía" de su colega Friedrich Ratzel, de la cual surgiría el principal paradigma teórico alemán a comienzos de siglo XX, el difusionismo,

---

15. Penny 2002: 37-39. De hecho, uno de los más grandes etnólogos alemanes de la generación de Schmidt, Curt Unkel (bautizado 'Nimuendajú' por los apapokuva-guaraní) jamás recibió instrucción universitaria; esto no impidió que sus trabajos fueran publicados regularmente por las principales revistas de etnología de habla alemana (Baldus 1945: 92; cf. Hemming 2003).

16. Por otro lado, a su alrededor existían instituciones claramente ligadas con la empresa colonial: los espectáculos etnológicos, las exposiciones de las "sociedades coloniales", los "panoramas coloniales". Uno de los más llamativos fenómenos de este género eran los *Völkerschauen*, exhibiciones de nativos traídos de las colonias que representaban "cuadros vivos" o incluso actuaban escenas más o menos complejas frente al público berlinés; muchos etnólogos de aquel entonces cooperaron con la preparación de estos espectáculos (Voges 2004: 25-30).

17. Recordemos que la consolidación política y la consecuente expansión colonial de Alemania ocurrieron recién a fines del siglo XIX, cuando derrotó a Austro-Hungría en 1866 y a Francia en 1871 y anexó colonias en África, Melanesia y China a partir de 1884.

18. Penny 2003: 253.

19. Es el caso de las escuelas de Frankfurt y de Viena, y de los etnólogos Moritz Merker, Alois Musil, Richard Thurnwald o el propio Franz Boas. Sin embargo, aquí debemos recordar que Brasil –donde Steinen y Schmidt realizarían sus principales exploraciones– recibía un enorme caudal de inmigrantes alemanes, muchos de los cuales se asentaban como colonos en territorios indígenas; de hecho, sólo en la segunda mitad del siglo XIX, 86.000 alemanes habían emigrado a ese país (Penny 2002: 27). Por más que no se tratara de auténticas "colonias", existía pues para el Reich un indudable interés práctico en conocer las poblaciones indígenas linderas (Penny 2003; Rebok 2002: 197-198).

professional teeth: Franz Boas, Leo Frobenius, Paul Radin, and, of course, Max Schmidt, who in 1919 took on the post of keeper of the South American research collection.

Affiliated with the newly established museums and societies, the first generations of ethnologists to emerge in Germany in the second half of the nineteenth century formed a kind of intellectual counterculture that openly competed with the existing university elites. Their social background was frequently, as in Schmidt's case, bourgeois and provincial; their technical formation gave precedence to knowledge acquired through field research as against bibliographic erudition; and they were openly hostile to the elitist notion of *Kultur*, the culture of the classical period, which they contested with the ethnological precept of cultural plurality. For these reasons alone, the fledgling science implied a radical transformation of existing structures. Nonetheless, through its links with the museums, German ethnology had by the turn of the century become institutionalized and was beginning to incorporate itself in university circles. And its orientation continued to be centred on Bastian's programme, with its emphasis on fieldwork. This in itself is an explanation of Schmidt's departure for Brazil only months after embarking on his research in Berlin Museum.[15]

It bears asking whether the surge in ethnological research was somehow related—as in the case of other European powers—to colonial expansion. During the final decades of the nineteenth century, Berlin harboured the ambition of becoming the capital of an empire, and it was in that context that the city's main ethnological institutions came into being. The Ethnological Museum of Berlin was a "Royal Museum", answerable, as such, to state interests. This gave it certain advantages as regards the enrichment of its collections: for example, the museum could not be refused access to pieces collected by any state-financed expedition or institution.[16] That said, it should also be mentioned that Germany's colonial position was limited in comparison with that of other European powers, and its impact on ethnologial practice was therefore much reduced.[17] Whereas, in England, colonial interests favoured the emergence of new anthropological paradigms, such as functionalism, German anthropology was able to continue practising "salvage" anthropology—encyclopaedic and far-removed from "applied" interests and theories.[18] Turn-of-the-century colonial projects were undoubtedly instrumental in the rise of ethnology, both as a fieldwork practice and as an academic institution, in Germany as elsewhere. But neither the creation nor the rapid growth of German museums can be attributed to imperialist aims. Berlin's great museum, for example, was founded more than a decade before Germany took possession of its first colonial territories. Indeed, it was in the pipeline even before the country's unification. Furthermore, as we have seen, the ideals of Bastian and his group bore nothing in common with colonialism. Rather they epitomized the deep-rooted cosmopolitan German humanism characterized, in the field of ethnography, by Alexander von Humboldt (younger brother of Wilhelm). For that very reason, many German ethnologists conducted fieldwork outside the limits of the Reich's colonial territories. A case in point is the Americanist focus of Schmidt's Berlin circle, which distinguished it from other German and Austrian schools—particularly connected with African and Melanesian studies where colonial interests were far more evident.[19]

1.b. The diffusionist school

Bastian was not the only influential ethnologist in Berlin at the time. His programme of inductive empiricism—opposed, as it was, to all dogmatic theories that sought to reduce the infinite variety of cultural facts to a single preconceived formula—left the field open to more ambitious explanatory models. An example of which was the "anthropogeography" advanced by his colleague Friedrich Ratzel. From that system were to emerge diffusionism—the

---

15. Penny 2002: 37–39. One of the greatest German ethnologists of Schmidt's generation, Curt Unkel (called Nimuendajú by the Apapokuva Guaraní), never received a university training. Nonetheless, his work was regularly published in the main German-language ethnology journals (Baldus 1945: 92; cf. Hemming 2003).

16. Directly associated with the colonial enterprise were events organized by other institutions, such as ethnological spectacles, "colonial society" exhibitions and "colonial panoramas". One of the most curious phenomena of the genre were the *Völkerschauen*, exhibitions of natives shipped from the colonies to appear before the Berlin public in still-life montages or in enactments of more or less complicated scenes of daily life. Many ethnologists of the time cooperated in the preparation of those spectacles (Voges 2004: 25–30).

17. Germany's political consolidation and colonial expansion did not occur until the end of the 19th century, with the defeat of Austro-Hungary in 1866 and of France in 1871 and with the annexation of colonies in Africa, Melanesia, and China after 1884.

18. Penny 2003: 253.

19. A colonial focus is exemplified by the schools of Frankfurt and Vienna and by the ethnologists Moritz Merker, Alois Musil, Richard Thurnwald, and Franz Boas himself. At the same time, it has to be said that Brazil—the country in which both Steinen and Schmidt carried out their main fieldwork—was in the process of hosting a massive influx of German immigrants. In the second half of the 19th century, it was the destination of 86,000 German migrants, many of whom settled on the lands of the indigenous inhabitants (Penny 2002: 27). Although the settlements did not constitute colonies as such, the Reich necessarily had a practical interest in acquiring a knowledge of the local indigenous population (Penny 2003; Rebok 2002: 197–98).

y en particular la escuela de los "círculos culturales" (*Kulturkreise*). Bastian no soslayaba la difusión de rasgos culturales a través de los contactos entre los pueblos, pero sí rechazaba ciertas peticiones de principios centrales en la teoría de Ratzel -ante todo, la idea de que no existieran "invenciones independientes", y que por lo tanto la aparición de un mismo rasgo cultural en dos áreas fuera prueba suficiente de contacto, por más que no existieran evidencias históricas que lo confirmasen.[20] Ante la aparición de una misma idea en dos lugares distantes del mundo, como por ejemplo la misma concepción del origen de la luz compartida por mitos de la Grecia antigua y de la Polinesia actual, Bastian prefería no conjeturar improbables conexiones históricas; antes bien, encontraba en ese hecho una prueba de la unidad psíquica de la humanidad. Ahora bien, en 1904 Fritz Graebner y Bernhard Ankermann -investigadores del Museo de Berlín- ofrecieron dos conferencias que representaban una auténtica revolución frente a su postura. Llamaron a romper con algunas nociones centrales de la escuela empirista de Bastian (en particular, el recurso a esta "unidad psicológica" humana), y propusieron una nueva agenda académica: el estudio de la difusión histórica de los rasgos culturales (materiales o ideales) a partir de ciertos "círculos culturales". Estos "círculos" pueden ser definidos como complejos culturales formados por la unión de diversos rasgos discretos, que surgen en un centro geográfico determinado y desde allí se irradian hacia otras áreas; así, se postulaba que todas las culturas del mundo podrían adscribirse a uno -o más- de estos círculos.[21]

Tras la muerte de Bastian, en 1905, el difusionismo histórico iba a convertirse en el paradigma de la etnología alemana.[22] Al grupo de investigadores que se reunió alrededor de Graebner en Berlín pronto iba a sumarse un influyente número de difusionistas en Viena, manejado con mano de hierro por el *Pater* Wilhelm Schmidt -fundador de la revista *Anthropos* e incansable buscador de pruebas de la universalidad del "monoteísmo primitivo" (*Urmonotheismus*). Pronto se multiplicarían los investigadores de campo que

aportaban datos desde distintos rincones del mundo para ilustrar las faraónicas categorizaciones de estos eruditos y reunir las colecciones que permitieran reconstruir la historia cultural, las relaciones pretéritas y los flujos migratorios. Este auge sólo sería interrumpido por el ascenso al poder del partido nacional-socialista, a finales de la década de 1930.[23]

Es así que, a comienzos del siglo XX, en la siguiente generación de etnólogos berlineses pueden distinguirse dos grupos: los "positivistas moderados" y los "difusionistas históricos".[24] Alineados con los ideales de Bastian, los primeros reivindicaban el trabajo de campo y se aferraban al empirismo inductivo. Los segundos, incorporando las principales nociones de Ratzel, tomarían el poder en la academia y producirían las obras más influyentes de la época; así, la reconstrucción de los "círculos culturales" fue durante más de dos décadas la principal tarea de la etnología germana. El método de trabajo de los difusionistas históricos era tan hipotético-deductivo como el de los grandes teóricos evolucionistas. Sus construcciones partían inevitablemente de ciertas nociones axiomáticas -ante todo, la mencionada inexistencia de invenciones independientes- que procuraban simplificar y encauzar la desbordante diversidad cultural acumulada en los reportes de viaje y las colecciones museográficas.[25] Tras la muerte de Bastian el director general de los museos berlineses se encargaría de trasladar los virajes teóricos a las vitrinas del Museo Etnológico, limitando los objetos conservados a las producciones de pueblos no-occidentales, y esparciendo por Europa buena parte de sus vastas colecciones.[26]

Si bien los estudios de Schmidt sobre cultura material muchas veces abordaron problemáticas difusionistas, tanto su formación etnológica como el íntimo conocimiento directo de la vida indígena adquirido en sus expediciones lo inclinaban hacia el intransigente empirismo de Bastian.[27] De hecho, con pocas excepciones, no es en los grandes debates teóricos donde hallaremos las claves para comprender los problemas abordados por Schmidt y los métodos que emplea para resolverlos.[28] Una de las principales lecciones

---

20. Schmidt 1926: 38.

21. Westphal-Hellbusch 1959: 849; Haekel 1959: 866; Heine-Geldern 1964: 412-414; Gingrich 2005: 92.

22. En su reseña sobre la historia de la teoría antropológica alemana, Heine-Geldern -mejor predispuesto hacia las grandes construcciones teóricas y las hipótesis ambiciosas- deplora el empecinado empirismo de la escuela de Bastian: la antropología alemana a fines del siglo XIX, escribe, "excepto por los confusos escritos de Bastian fue casi completamente estéril en lo que hace a teoría etnológica", y habrían sido Ratzel y sus discípulos difusionistas quienes llegaron para llenar ese vacío (Heine-Geldern 1964: 411).

23. El padre Schmidt, por ejemplo, debió migrar a Suiza en 1938. Según la dura formulación de Gingrich, los difusionistas "no eran por lo general lo suficientemente racistas para los nazis" (Gingrich 2005: 107; cf. Désveaux 2007: 58, Conte y Essner 1994: 161-162).

24. Gingrich (2005: 91-92).

25. Una buena síntesis puede hallarse en la monumental obra *Methode der Ethnologie*, publicada por Graebner en 1911. Si bien se mostraba más respetuoso de las variaciones locales y del detalle etnográfico que el difusionismo inglés o que el evolucionismo, se trataba de una teoría de pretensiones universales cuya meta consistía -ni más ni menos- que en la explicación de la historia universal a partir de unos pocos principios axiomáticos, lo cual conducía muchas veces a conexiones históricas rebuscadas y absolutamente hipotéticas (Lowie 1937: 180).

26. König 2007: 127-128. Hacia 1900, los museos etnológicos alemanes habían entrado en crisis debido justamente a que las colecciones desbordaban desordenadamente de las vitrinas. A diferencia de los arreglos evolucionistas de los museos ingleses o norteamericanos, estos museos -ante todo el de Berlín- seguían la idea de Bastian de generar en el visitante la intuición de la unidad de la especie humana; por lo tanto, las exhibiciones no ofrecían ningún tipo de orden específico más allá del geográfico, ni buscaban respaldar teorías generales sobre las relaciones entre las culturas (cf. Penny 2002: 1-3, 35).

27. Schmidt 1926: 42. El propio Bastian se había encargado de señalar que las perspectivas "psicológica" (la propia) y "geográfica" (el difusionismo de Ratzel) no eran mutuamente excluyentes: "Nada es más disparatado que la controversia 'préstamo versus idea folk'. Tal controversia, ya lo he dicho cien veces, no existe" (Bastian cit. en Köpping 2005: 61). En efecto, tanto Steinen como Max Schmidt -y en suma todo el grupo de los "empiristas moderados"- parecen haber tomado buena nota de esta indicación, conjugando sin problemas elementos de ambos enfoques.

28. Hablamos de excepciones porque, por mucho que se resistiera a las teorías desligadas de la experiencia directa, Schmidt no podía dejar de compartir ciertas premisas del difusionismo; así, por ejemplo, en su estudio sobre los métodos de cultivo en Sudamérica, sugería que el cultivo "inicial" debía ser el sistema de montículos, ya que el proceso de roza exigía un "grado considerable de nivel cultural" (Schmidt 1922: 117; 1926: 108; 1951). También hay que señalar, empero, que esas premisas componían el paradigma teórico común de la etnología de comienzos de siglo, y que por tanto eran compartidas hasta por los autores más cuidadosos.

theoretical paradigm that held sway in Germany at the beginning of the twentieth century—and, in particular, the "culture circles" (*Kulturkreise*) school. Bastian did not deny the diffusion of cultural traits as a result of contact between societies, but he rejected certain central precepts of Ratzel's theory which he saw as being flawed by *petitio principii*. Above all, he dismissed the argument that "independent inventions" do not exist and that the appearance of the same cultural trait in two different areas is sufficient proof of contact, despite there being no historical evidence to confirm it.[20] Faced with the occurrence of an idea in widely separate parts of the world—such as the concept of the origin of light, shared by ancient Greece and contemporary Polynesia—Bastian chose not to conjecture improbable historical connections, instead ascribing the coincidence to the psychic unity of humanity. However, two researchers at the Berlin Museum, Fritz Graebner and Bernhard Ankermann, gave a pair of lectures in 1904, which challenged Bastian's position. They called for a break with certain central tenets of his empiricist school (particularly the doctrine of human psychological unity) and proposed a new academic agenda: primarily, the study of the historical diffusion of cultural traits, be they of a material or ideal nature, on the basis of "culture circles". The "circles" in question can be defined as cultural plexuses that combine a variety of diverse characteristics. They arise in specific geographical centres, from which they radiate to other areas. Ultimately, it was postulated, all human cultures can be ascribed to one or more circles.[21]

After Bastian's death in 1905, historical diffusionism came to be the dominant paradigm of German ethnology.[22] Graebner's group of researchers in Berlin was soon supplemented by an influential number of diffusionists in Vienna, headed by the domineering figure of *Pater* Wilhelm Schmidt, founder of the *Anthropos* journal and indefatigable exponent of the universality of "primitive monotheism" (*Urmonotheismus*). A growing number of fieldworkers collected evidence from across the globe with which to corroborate the school's pharaonic classificatory schemes, gathering material that supported its reconstruction of cultural history, interethnic relations, and migratory flows. The rise to power of National Socialism, in the late 1930s, curtailed the expansion of the programme.[23]

At the beginning, then, of the twentieth century, the new generation of Berlin ethnologists divided into two groups: the "moderate positivists" and the "historical diffusionists".[24] The former, in keeping with Bastian's ideals, advocated fieldwork and an inductive, empirical methodology. The latter, drawing on Ratzel's postulates, became dominant in the academic milieu and produced the most influential works of the time. As a result, the reconstruction of "culture circles" was to be the main task of German ethnology for more than two decades. Methodologically, historical diffusionism was as hypothetical and deductive as evolutionism. Building on axiomatic premises—foremost among which was the above-mentioned inexistence of independent invention—it attempted to schematize the overwhelming cultural diversity accumulated in fieldwork accounts and museum collections.[25] After Bastian's death, Berlin's director-general of museums made it his responsibility to reflect the theoretical reorientation in the showcases of the Ethnological Museum. A large part of the museum's vast collection was dispersed across Europe, and its holdings were limited to non-Western artefacts.[26]

Despite the fact that in his work on material culture Max Schmidt often entered the diffusionist debate, both his ethnological training and his firsthand knowledge of indigenous life inclined him towards Bastian's intransigent empiricism.[27] Only exceptionally do the prevailing theoretical debates provide the key to understanding the questions he addressed and the methods he employed to answer them.[28] As already mentioned, Bastian's insistence on empirical, purely inductive ethnology was in complete contrast to the conjectural dogmas expounded by the major theoreticians of the period. But it was in that eclectic anti-dogmatism, with its focus on phenomena per se

20. Schmidt 1926: 38.

21. Westphal-Hellbusch 1959: 849; Haekel 1959: 866; Heine-Geldern 1964: 412–14; Gingrich 2005: 92.

22. In his survey of the history of German anthropological theory, Heine-Geldern, sympathetic towards far-reaching hypotheses and theoretical mega-constructions, deplores the entrenched empiricism of Bastian's school. With the exception of the "confused writings" of Bastian himself, German anthropology at the end of the 19th century was, he writes (1964: 411), "almost completely sterile as regards ethnological theory". It was Ratzel and his diffusionist disciples who came to fill the gap.

23. Pater Schmidt, for example, had to migrate to Switzerland in 1938. According to a harsh observation by Gingrich (2005: 107), the diffusionists "were, in general, insufficiently racist for the Nazis" (cf. Désveaux 2007: 58, Conte and Essner 1994: 161–62).

24. Gingrich 2005: 91–92.

25. The historical-diffusionist school of thought is synthesized in Graebner's monumental work *Methode der Ethnologie*, published in 1911. Despite his being more respectful of ethnographic detail and local variation than can be said of evolutionism and English diffusionism, his theory none the less had universal pretensions consisting in nothing more nor less than the explanation of human history in terms of a few axiomatic principles. This often led to historical connections that were as outlandish as they were hypothetical (Lowie 1937: 180).

26. König 2007: 127–28. Around 1900, German ethnological museums were in crisis, precisely because their display cabinets were overladen with material. Unlike their English and North American counterparts, which organized their exhibits along evolutionary lines, German museums—Berlin's, in particular—adhered to Bastian's idea of conveying a sense of the unity of humankind. Exhibits were therefore arranged without any kind of thematic ordering, other than that of geographical origin, and without seeking to lend weight to general theories about relations between cultures (cf. Penny 2002: 1–3, 35).

27. Schmidt 1926: 42. Bastian himself had pointed out that the "psychological" and "geographical" perspectives, corresponding to his own approach and Ratzel's diffusionism, respectively, were not mutually exclusive: "Nothing is more nonsensical than the controversy 'borrowing versus folk idea'. Such a controversy, I have said a hundred times over, does not exist" (quoted in Köpping 2005: 61). Indeed, Schmidt—like Steinen and the entire group of "moderate empiricists"—seems to have taken heed of the axiom, as he had no scruples about conflating elements of both perspectives.

28. There are exceptions because, much as Schmidt resisted theories detached from direct experience, he could not altogether disavow diffusionist premises. In his study of Amerindian agricultural techniques, for example, he argued that the "initial" system was that based on the use of mounds, in view of the fact that the slash-and-burn process requires a "considerable degree of cultural capacity" (Schmidt 1922: 117; 1926: 108; 1951). It should be added, though, that at the beginning of the 19th century, diffusionism was the prevailing theoretical paradigm of ethnology, and its premises were therefore shared even by the most scrupulous authors.

de Bastian era su insistencia en una etnología empírica, puramente inductiva, opuesta a los dogmas conjeturales de las grandes teorías de la época. En este ecléctico anti-dogmatismo, interesado por los fenómenos en sí antes que por las teorías, podremos encontrar algunas de las bases metodológicas de Max Schmidt.[29]

Como sea, la política académica de los países germa-noparlantes –y en particular de Berlín– a comienzos del siglo XX nos permite conjeturar la incómoda posición de Schmidt, que permaneció fiel al trabajo de campo como principal herramienta metodológica y a la documentación museográfica como fuente de datos, y que por lo demás no contribuía con su investigación a la expansión colonial alemana.[30] Los historiadores de la disciplina que lo men-cionan –siempre furtivamente– suelen destacar su inque-brantable empirismo, que lo apartaba tanto de la escuela de los "círculos culturales" como a la vez de las posiciones académicas de privilegio.[31] Por lo tanto, se vio relegado a una posición académica periférica junto con otros grandes americanistas como su maestro Steinen o el propio Theodor Koch-Grünberg.

1.c. La etnología alemana y el Mato Grosso

La región elegida por Schmidt para sus primeras investiga-ciones de campo –el Mato Grosso– también es una herencia directa del círculo de Bastian. Existía una larga tradición alemana de exploraciones científicas en América; dentro de ella, y a pesar de las riquísimas etnografías escritas por mi-sioneros alemanes durante los primeros siglos de la Colonia, el principal referente seguía siendo sin dudas Alexander von Humboldt, quien entre 1799 y 1804 recorrió las actuales repúblicas de Venezuela, Colombia, Cuba, México, Ecuador y Perú, y expuso los resultados de sus investigaciones en veintinueve gruesos volúmenes que versaban sobre geogra-fía, zoología, botánica y etnología. Su ejemplo iba a pesar en todos los exploradores científicos alemanes posteriores, y sin dudas contribuyó a que grandes antropólogos de fines

del siglo XIX considerasen América como el continente de investigación privilegiado. En efecto, buena parte de la etnografía sudamericana en esta época –entre finales del siglo XIX y comienzos del XX– fue producida por investiga-dores germano-parlantes; tal es, sin dudas, el caso del Mato Grosso y la cuenca del Río Xingu.[32] El atractivo que esta región poseía para Steinen o Schmidt provenía indudable-mente de que aún se mantenía como *terra incognita* durante el último cuarto del siglo XIX.[33] Por un lado, esto despertaba el interés romántico de los espíritus aventureros –explorar regiones secretas, desconocidas por los europeos, trayendo de regreso las primeras semblanzas de sus habitantes–; por el otro, garantizaba el contacto con auténticos *Naturvölker*.

En 1884 Steinen realizó una hazaña inédita descen-diendo el Río Xingu desde las nacientes hasta su desembo-cadura. De hecho, había llegado a América con la idea de visitar a los mismos chiriguanos del Chaco occidental que su discípulo Schmidt visitaría medio siglo después, pero la abandonó cuando supo que una expedición boliviana había conseguido atravesar el Chaco siguiendo el curso del por entonces desconocido Río Pilcomayo: la aventura chaqueña, así, perdía buena parte de su atractivo.[34] Cambió entonces el río chaqueño por el amazónico, que en buena medida era todavía desconocido, y sobre el cual se tejían fantasiosas leyendas. Tres años más tarde, en 1887, volvía a explorar la región para concentrarse en sus sociedades in-dígenas, virtualmente desconocidas hasta el momento. La principal preocupación de estas campañas era el catálogo de los parentescos lingüísticos entre los diversos grupos –de hecho, Steinen consideraba que el principal resultado de su primer viaje había sido establecer la filiación caribe de los bacairís en la gramática que publicaría en 1892. El segundo viaje ampliaría enormemente esos resultados: identificaría la composición étnica y la filiación lingüística de buena parte del área alto-xinguana, y propondría –para lo que hasta entonces era una maraña de lenguas y grupos– un esquema clasificatorio común que en líneas generales fue suscrito por la etnología y la lingüística posteriores.[35]

---

29. Los abordajes de problemas difusionis-tas realizados por los investigadores alema-nes que se ceñían al empirismo eran muy diferentes de los realizados por Graebner o Wilhelm Schmidt: su rango de estudio era mucho más localizado, se circunscribía siempre a zonas y relaciones interétnicas precisas –en otras palabras, a lo que Bastian llamaba "provincias geográficas". Por otro lado, todos los discípulos de Bastian que investigaron en Sudamérica –incluyendo a Schmidt, Preuss, Koch-Grünberg y Ehrenreich– realizarían frecuentes y serias impugnaciones a las tesis difusionistas; en síntesis, veían esos estudios como superfi-ciales comparaciones formales entre objetos (Kraus 2007: 148).

30. Citemos por ejemplo algunas líneas que evidencian su escaso entusiasmo por la empresa colonial: "Lo que hace al europeo tan detestable para la mayoría de los nativos es el engreimiento, que a veces roza la megalomanía, que marca su conducta para con ellos. Es un grave error imaginar que el europeo impresionará a los nativos en sus bosques primordiales por obra y gracia de su imponente aparición. El nombre *macaco branco* (simio blanco), generalmente dado

al blanco por los hombres morenos de los asentamientos brasileños más alejados, es prueba evidente de que la impresión que causa el blanco no siempre resulta impo-nente" (Schmidt 1926: 42).

31. Ver, por ejemplo, Schweitzer 2004: 74. Sobre el desarrollo de la etnología austro-germana de la primera mitad del siglo XX, cf. Andriolo 1979; Gingrich 2005; Haekel 1959; Westphal-Hellbusch 1959.

32. Las exploraciones alemanas del Brasil comenzaron temprano en el siglo XIX. El príncipe y zoólogo Wied Neuwied publicó hacia 1820 un libro con un estudio mono-gráfico sobre los botocudos. Carl Friedrich Phil von Martius, un botánico que a partir de 1817 recorrió el país durante años, compiló a su vez un valioso resumen de las informaciones conocidas hasta 1867. Con la posterior institucionalización de la etnología llegarían aun más exploraciones: "Son pocas las regiones de la tierra tan mal exploradas, en lo que hace a etnología indígena, como el Brasil. Numerosas tribus desaparecerán o perderán en buena medida su herencia cultural aborigen sin que poseamos de ellas al menos una descripción etnográfica lo

suficientemente completa o fidedigna. En cuanto al material del que disponemos, en buena parte lo debemos a un puñado de científicos alemanes que, a finales del siglo pasado y principios de éste, escogieron las tribus indígenas del Brasil como objeto de sus investigaciones de campo" (Schaden 1955: 1153). Como resultado, según vimos, a fines de siglo Alemania era el país que poseía las mayores colecciones etnográficas procedentes del Brasil (Baldus y Recalde 1943: 177).

33. Schaden 1993: 111; König 2007: 133. Schmidt compartía con sus maestros Bastian y Steinen la vocación geográfica más pura de aquella época: la exploración pionera. Las contribuciones etnológicas eran solidarias de las geográficas, y de hecho Bastian también llegó a presidir la Sociedad Geográfica de Berlín. Tal como observa Emmanuel Désveaux, en la etno-logía decimonónica alemana "difícilmente podamos separar la antropología tal como la entendemos hoy de la geografía" (Désveaux 2007: 63).

34. Thieme 1993: 46.

35. Schaden 1993: 112.

rather than on theory, that Max Schmidt's methodological foundations were rooted.[29]

It can well be imagined that Max Schmidt's commitment to fieldwork as the preferred methodological tool, which could at best be supplemented by museum-based research, left him uncomfortably placed in relation to the academic politics prevalent in Berlin—and in the German-speaking world, in general—in the early 1900s. In addition, his research did not contribute to German colonial expansion.[30] Historians of anthropology usually underscore the deep-seated empiricism that distanced him from the academic establishment, as represented, above all, by the "culture circles" school.[31] For that very reason, Schmidt was relegated to the margins— along with other Americanists, such as his own teacher, Steinen, and even Theodor Koch-Grünberg.

1.c. German ethnology and the Mato Grosso

The area that Schmidt chose for his first field research—the Mato Grosso of central Brazil—itself formed part of the legacy of Bastian's circle. Besides the detailed ethnographies written by German missionaries during the early colonial period, Germany had a long tradition of scientific exploration in South America. The foremost figure in that tradition was undoubtedly Alexander von Humboldt, who spent five years (1799–1804) travelling through present-day Venezuela, Colombia, Cuba, Mexico, Ecuador, and Peru, and published his findings in twenty-nine volumes of geographical, zoological, botanical, and ethnological import. His example was to have an impact on all subsequent German scientific exploration and undoubtedly contributed to the South American continent being regarded by major late-nineteenth-century anthropologists as the locus of research *par excellence*. Indeed, during the period extending from the end of the nineteenth century to the beginning of the twentieth, South American ethnography—particularly in the Mato Grosso and Xingu River basin—was, to a

large extent, the work of German-speaking researchers.[32] For Steinen and Schmidt, the region held the unquestionable attraction of remaining, during the last quarter of the nineteenth century, a *terra incognita*.[33] At the same time as this guaranteed contact with authentic *Naturvölker*, it provided an opportunity to explore a remote region, unknown to Europeans, and to return with the first ever account of its inhabitants—a prospect sufficient in itself to arouse the Romantic interest of adventurous spirits.

In 1884, Steinen performed the unprecedented feat of descending the Xingu River from source to mouth. He had first arrived in South America with the idea of visiting the Chiriguano of the western Chaco—the very people whom his student, Max Schmidt, would visit half a century later. However, he abandoned the idea on learning that a Bolivian expedition had already succeeded in crossing the Chaco by following the course of the (then unknown) Pilcomayo River. With the appeal of his planned Chaco adventure dissipated, Steinen's interest turned to the legendary and largely uncharted tributary of the Amazon.[34] Three years later, in 1887, he returned to the region, this time to concentrate on linguistic relations among its virtually uncontacted indigenous societies. The principal outcome of his first fieldtrip had been, by his own estimation, the Carib filiation that he established for the Bacairí language, a filiation that he would subsequently demonstrate in a grammar of the language he published in 1892. His second period of fieldwork was to yield far more comprehensive results: he identified the ethnic composition and linguistic filiation of much of the Upper Xingu, an area which, until then, had been a confusion of groups and languages. The general outline of the classificatory scheme he proposed was adopted by later ethnologists and linguists.[35] It is safe to say that the ethnological debate was to be revolutionised by the works he published on the basis of his field research—in particular, *Unter den Naturvölkern Zentral-Brasiliens*, described by Baldus as a "masterpiece of nineteenth-century Brazilian ethnology". Von den Steinen became one of the leading

29. The German empiricists' treatment of issues of diffusion differed widely from the line taken by Graebner and Wilhelm Schmidt. Their studies were more localized, being always limited to precise areas and specific interethnic relations—what Bastian referred to as "geographical provinces". Furthermore, all students of Bastian who conducted research in South America, including Schmidt, Preuss, Koch-Grünberg and Ehrenreich, frequently made serious indictments of diffusionist theses, which, in synthesis, they regarded as the superficial, formal comparison of material objects (Kraus 2007: 148).

30. Schmidt, for his own part, was not enthusiastic about the colonial enterprise: "What makes the European so detestable to the majority of the natives is the arrogance, bordering at times on megalomania, that typifies his manner in his dealings with them. It is a grave error to suppose that, by virtue of his imposing appearance, the European will make a positive impression on the native inhabitants of the primeval forest. The name generally given to the white man by the tawny people of the remote interior of Brazil, that of *macaco branco* (white monkey), is sufficient proof

that the impression he makes is not always prepossessing" (Schmidt 1926: 42).

31. See, for example, Schweitzer 2004: 74. On the development of Austro-German ethnology in the first half of the 20th century: Andriolo 1979; Gingrich 2005; Haekel 1959; Westphal-Hellbusch 1959.

32. German expeditions to Brazil began in the early 19th century. A book which included a study of the Botocudo was published around 1820 by the zoologist Prince Wied Neuwied. From 1817, the botanist Carl Friedrich Phil von Martius spent years travelling within the country, later producing an important compilation of the information gathered up until 1867. The subsequent institutionalization of ethnology led to further exploration: "From the point of view of indigenous ethnology, there can be few regions on earth so unsatisfactorily explored as Brazil. Numerous tribes will disappear or to a large extent lose their aboriginal cultural heritage without our at least having an adequate description of them. As to the material of which we dispose, we owe it in good measure to a handful of German scientists who, between the end of the last

century and beginning of this, chose the indigenous tribes of Brazil for their field research" (Schaden 1955: 1153). As a result, as we have seen, Germany's collections of ethnographic materials originating in Brazil were, by the end of the 19th century, the largest in the world (Baldus and Recalde 1943: 177).

33. Schaden 1993: 111; König 2007: 133. Pioneer exploration, the essence of the geographer's vocation at the time, was also a calling that Schmidt shared with his mentors Bastian and Steinen. The findings of ethnology went hand in hand with those of geography; indeed, Bastian came also to hold the office of president of the Berlin Geographical Society. As Emmanuel Désveaux (2007: 63) comments in relation to 19th-century German ethnology: "anthropology, as we understand it today, can barely be distinguished from geography."

34. Thieme 1993: 46.

35. Schaden 1993: 112.

Las publicaciones que resultaban de esas campañas (en particular *Unter den Naturvölkern Zentral-Brasiliens*, "obra prima de la etnología brasileña del siglo XIX" según Baldus) iban a revolucionar el debate etnológico. Steinen se convertía en una de las mayores autoridades de la etnología sudamericana; bajo su influencia, toda una generación de etnólogos alemanes se interesó por estas regiones, y muchos llegaron a realizar sus propios viajes.[36] En efecto, pronto se multiplicaron las expediciones alemanas al Brasil. Paul Ehrenreich, que también había incursionado en el Xingu entre 1884 y 1885 y había acompañado a Steinen en su segundo viaje de 1887, realizaría estudios breves entre los botocudos y en otros grupos de los ríos Araguaia y Purús. En 1896, Hermann Meyer dirigió una exploración a los afluentes del Xingu (los ríos Ronuro y Kuluene), y en 1899 volvería a visitar la región. Otro discípulo de Steinen y compañero de Schmidt en Berlín, el lingüista Theodor Koch-Grünberg, también recorrería el noroeste de Brasil entre 1903 y 1905.

En 1900, pocos meses después de haber abandonado una carrera de leyes y haberse enrolado en el Museo Etnológico, Max Schmidt se embarcaba hacia el Brasil siguiendo la sombra de estos mayores. En sus propias palabras, "los resultados de las cuatro expediciones alemanas al Río Xingu, que se sucedieron una tras otra en pequeños intervalos, me hicieron comprender que las nacientes de este río constituían la región más adecuada para un encuentro con los hijos de las selvas".[37]

2. De Berlín a los hijos de la selva

2.a. Primeras expediciones

El Río Xingu corre en dirección sur-norte y es uno de los grandes tributarios del Amazonas; posee, a su vez, cinco tributarios principales: el Ronuro, el Batoví, el Curisevo, el Kuluene y el Von den Steinen. La región abarcada por éstos se conoce como "alto Xingu"; la riqueza de los ríos, navegables todo el año, explica la notable concentración de sociedades indígenas en el área, pertenecientes a cinco familias lingüísticas distintas.[38] En su viaje de 1900-1901, Schmidt planeaba descender el Río Curisevo hasta la región de los kamaiurás y permanecer allí unos cuantos meses. Atravesó el Atlántico hasta Buenos Aires, desde ahí embarcó hacia Asunción y remontó el río Paraguay hasta Cuiabá. Viajaba sin compañeros europeos, contaba con recursos muy limitados y al principio ni siquiera dominaba el portugués –que comenzó a aprender escuchando a los pasajeros en el barco. Las peripecias de este viaje son narradas en sus *Indianerstudien in Zentralbrasilien*, una enumeración de grandes y pequeñas tragedias relatadas (y seguramente vividas) con optimismo singular: mulas que se desbarrancan, colecciones que se pierden, deserciones, traiciones, lluvias tropicales, crecientes del río, mordidas de víboras, el acecho del jaguar, todo esto es narrado con una mezcla de resignado buen humor y meticulosidad burocrática –y, ante todo, con la sorprendida candidez de un recién llegado a esas latitudes. Algo tienen de quijotesco las solitarias gestas de un Schmidt pálido, escuálido, siempre filosófico entre indígenas a los que apenas comprende, internándose en la selva con algunos libros de viaje de Steinen como toda guía, y sobreviviendo a veces por simple suerte.

El viaje había sido planeado en Berlín junto a Steinen, y en parte debía repetir el periplo que éste había realizado en 1887. Muchos de los indígenas xinguanos que encontraría en los ríos Paranatinga y Curisevo ya habían sido visitados por Steinen. Llevaba entonces en su equipaje las obras del maestro como una carta de presentación diplomática; innumerables veces –además del violín– fueron los grabados de esos libros los que facilitaron la amistad de los indígenas: "Con mi violín, mi álbum de figuras coloridas y principalmente con las dos obras de v. d. Steinen, que traía conmigo, me hice amigo de los xinguanos, que en ciertas estampas reconocían a sus parientes, lo que a veces desataba carcajadas infernales".[39] Los indígenas disfrutaban sus intentos –al parecer no muy exitosos– de pronunciar las palabras en sus lenguas compiladas por Steinen.[40] Por otro lado, los

36. Schaden 1955: 1153-1154. Ehrenreich escribió que "la expedición del Dr. Von den Steinen al Xingu, en 1884, (...) abre un nuevo período para la etnografía de América del Sur. El descubrimiento de que se habían conservado representantes de las principales tribus del Brasil en estado de cultura casi precolombino en el centro del continente llevó a este investigador a construir una nueva clasificación de las tribus y a la exposición hipotética de sus migraciones" (Ehrenreich 1892: 10). Sobre la americanística alemana de la época, véase Baldus y Recalde 1943; Calavia Sáez 2005; Frank 2005, 2010; Penny 2003; Hemming 2003; Rebok 2002.

37. Schmidt 1942b: xvii.

38. Ciertamente ésta era una de las principales razones del interés por la región: ya Bastian promovía el estudio de las zonas de contacto interétnico entre grupos, donde los procesos de transformación recíproca pudieran ser observados con mayor claridad –entre ellas, claro está, los ríos (Penny 2002: 23).

39. Schmidt 1942b: 31. En ocasiones, esta carta de presentación comportaba un cierto peligro; así, los bakairi "miraron con mucho interés los grabados del libro de v. d. Steinen; sólo frente al retrato de Tumaiaua, jefe de aquella época, hubo cierto movimiento, una especie de malestar, como si dijeran 'no toquemos esto'. El joven jefe, que ahora miraba el retrato, era justamente quien substituía a Tumaiaua, asesinado por sus hermanos de sangre" (Schmidt 1942b: 46).

40. Schmidt 1942b: 78.

authorities on South American ethnology, to the extent that, through his influence, the region was the focus of interest of an entire generation of German ethnologists.[36] Of the many German research expeditions that resulted, an increasing number centred on Brazil. Paul Ehrenreich, who had himself travelled in the Xingu basin between the years 1884–85 and participated in Steinen's 1887 fieldtrip, subsequently carried out brief periods of research among the Botocudo and other groups of the Araguaia and Purús rivers. In 1896, Hermann Meyer explored the Ronuro and Kuluene Rivers, affluents of the Xingu, returning to the area in 1899. The linguist Theodor Koch-Grünberg, another of Steinen's students and a fellow student of Max Schmidt's in Berlin, travelled extensively in northwest Brazil between 1903 and 1905.

In 1900, within only a few months of abandoning his degree in law and becoming attached to the Ethnological Museum, Max Schmidt was setting sail for Brazil in the wake of a well-established German tradition. In his own words: "the results of the four German expeditions to the River Xingu, following one after the other at short intervals, taught me that the headwaters of that river were the area best suited to an encounter with children of the forest."[37]

2. From Berlin to the children of the forest

2.a. The first expeditions

The Xingu River is one of the major tributaries of the Amazon, into which it flows from the south, following a northerly course. It is itself fed by five main tributaries, the Ronuro, Batovi, Curisevo, Kuluene, and Von Den Steinen rivers, which together span an area known as the "Upper Xingu". With an abundance of flora and fauna associated with its perennially navigable rivers, the area is inhabited by a large concentration of indigenous societies belonging to five distinct language families.[38] For his first fieldtrip in 1900–1901, Schmidt planned to descend the Curisevo

River to Kamaiurá territory, where he intended to stay for several months. He crossed the Atlantic to Buenos Aires, where he took a boat to Asunción and, from there, continued up the Paraguay River to Cuiabá. He travelled on very limited means, without the company of other Europeans and with no grasp of Portuguese, which he began to learn on board by listening to the passengers. The vicissitudes of that expedition are narrated in *Indianerstudien in Zentralbrasilien*, in which Schmidt enumerates, with singular verve, the sequence of tragedies, great and small, that he experienced (most probably firsthand): mules falling into the river from the riverbank; the loss of pieces collected for the museum; desertions and deceptions; tropical rains and floods; snakebites and the threat of jaguars. . . . The narrative of those events, blending resigned good humour with bureaucratic precision, evinces above all the candid ingenuity of a newcomer to those shores. His demeanour has something quixotic about it, as the squalid, solitary, pallid Schmidt—ever philosophical among indigenous people with whom he could scarcely communicate—headed into the forest with Steinen's travelogues as his only guide, surviving at times through sheer good fortune.

The journey was mapped out in advance in Berlin, with the help of Steinen himself, whose footsteps in 1887 Schmidt was partly to retrace. Many of the indigenous people with whom Schmidt came into contact on the Paranatinga and Curisevo rivers had been visited by Steinen, whose works his successor now carried with him as a letter of introduction to those same people. Besides Schmidt's violin, it was the etchings in those books that, on innumerable occasions, facilitated friendly relations: "With my violin, my album of coloured drawings and, mostly, the two works of v. d. Steinen's that I had with me, I befriended the Xinguans, who recognized relatives in certain prints. This at times unleashed infernal hilarity."[39] The indigenous people were amused at his (evidently none too successful) attempts to pronounce the words compiled by Steinen.[40] At the same time, the latter's detailed

36. Schaden 1955: 1153–54. For Ehrenreich (1892: 10), "Dr. Von den Steinen's expedition to the Xingu in 1884 [. . .] begins a new period for South American ethnography. The discovery that, at the centre of the continent, representatives of the principal tribes of Brazil were preserved in an almost pre-Columbian state of culture led this researcher to construct a new system of tribal classification and to give a hypothetical account of tribal migrations." With regard to the German Americanist output of the period, see Baldus and Recalde 1943; Calavia Sáez 2005; Frank 2005, 2010; Penny 2003; Hemming 2003; Rebok 2002.

37. Schmidt 1942b: xvii.

38. Among the reasons for the interest that the region held should be counted Bastian's promotion of the study of interethnic-contact zones—river basins being a clear example—where processes of reciprocal transformation are more clearly observable (Penny 2002: 23).

39. Schmidt 1942b: 31. Occasionally, the letter of introduction was a liability. The Bakairi, for example, "looked with much interest at the etchings in v. d. Steinen's book. But on seeing the portrait of the former headman, Tumaiaua, there was a certain commotion, or malaise, as if to say 'don't touch'. Tumaiaua had been killed by his blood brothers, and it was his young substitute who was now looking at the portrait" (Schmidt 1942b: 46).

40. Schmidt 1942b: 78.

detallados relatos del maestro oficiaban muchas veces como mapa del terreno, e incluso como una suerte de guía para orientarse en los entramados sociales indígenas –pues era precisamente en esas familias bacairís, viejos amigos de Steinen, donde Schmidt encontraría a sus primeros compañeros de viaje.

Sin embargo, por más que el trayecto y los grupos visitados fueran prácticamente los mismos, los viajes de Steinen y Schmidt se distinguían en más de un detalle. Las campañas del primero poseían la envergadura típica de las exploraciones científicas decimonónicas: así, la comitiva de su primer viaje al Xingu en 1884 estaba compuesta por cuatro peones, dos oficiales, tres viajeros alemanes, veinticinco soldados, cuatro "camaradas", varias mulas, seis carros y veinticinco bueyes que cargaban el equipo: provisiones, herramientas para construir barcos, instrumentos de medición y hasta un cefalómetro de Virchow. La segunda expedición, en 1887, era apenas más reducida: catorce personas, dieciocho mulas y dos caballos (cargando setenta y cinco kilogramos de cuentas de vidrio y objetos de metal para intercambiar por manufacturas), así como también la compañía de futuras eminencias como Paul Ehrenreich y el profesor Vogel. En cambio, Schmidt era un viajero solitario, y como veremos todo indica que esa soledad era elegida y atesorada. Compárese, por ejemplo, la enumeración anterior con esta escena del comienzo del viaje de Schmidt, que avanzaba penosamente con tres burros y una mula, acompañado por el joven Franza y un niño llamado Anselmo: "¿Cómo íbamos a pasar la noche? Franza estaba parado, sin saber qué hacer, envuelto en su grueso poncho. La mula se echó con la carga en el agua y Anselmo, que consideró la situación altamente antipráctica, se puso a llorar en voz alta".[41]

Al parecer Steinen había planteado la necesidad de realizar investigaciones intensivas en cada grupo del Xingu, y Schmidt debía ser el primero en poner en práctica ese programa con un estudio de los kamaiurás –a cuyas tierras, en realidad, jamás consiguió llegar. En palabras del propio

Steinen, este viaje de Schmidt al Xingu "se distinguía esencialmente de las expediciones anteriores por la tentativa de viajar apenas un solo explorador, auxiliado apenas por los más indispensables compañeros de viaje, y de permanecer por mayor espacio de tiempo con una tribu, penetrando más profundamente en el mundo mental de indios todavía aislados".[42] Aun cuando no llegara a ponerse en práctica, esta metodología de trabajo de campo resultaba extraordinaria para una época en la cual se priorizaba la exploración geográfica, y en la cual los etnólogos no acostumbraban demorarse en pesquisas intensivas. Por un lado, porque el hecho de convivir un tiempo prolongado con un grupo indígena todavía no había sido establecido como el método etnológico por excelencia; por el otro, porque en estos tiempos los objetivos de las exploraciones eran otros: existían problemas regionales que parecían más urgentes que cualquier estudio intensivo de un solo grupo. En cualquier caso, como veremos, ciertos anhelos más íntimos que cualquier prescripción metodológica llevaban a Schmidt por ese mismo camino, tal vez con mucho más ímpetu que los consejos de su maestro.

La soledad de su viaje resulta todavía más llamativa si se consideran los peligros implicados. Mientras Schmidt preparaba la modesta expedición al Xingu en Cuiabá, escuchaba relatos sobre los sangrientos fracasos de expediciones mucho más grandes y mejor pertrechadas –en particular la reciente masacre de una expedición norteamericana a manos de los suyás del Río Curisevo. Los caucheros tramaban nuevas incursiones para desalojar a los kaiabis, de las cuales Schmidt rehusó formar parte.[43] Así, esperaba el momento propicio para la partida en un escenario muy poco alentador: "¿Cómo podía entenderse, entonces, que un solo europeo como yo, más aun completamente novato en estos asuntos, quisiera realizar esa larga caminata, acompañado apenas por dos hombres?". Sus íntimas razones seguramente hubieran resultado incomprensibles para los colonos caucheros: "La idea de, en poco tiempo, estar con los indios del Río Coliseu [Curisevo], enteramente desconocidos por

41. Schmidt 1942b: 10. Su guía durante el resto del largo viaje sería otro joven llamado André, y muchas de las páginas más conmovedoras del libro tratan sobre la amistad entre el extraño alemán apasionado por los indígenas, que cargaba cajas de libros a través de la selva, y su fiel acompañante iletrado. Resuena aquí la relación, también íntima, entre Steinen y Antonio, el guía bacairí de sus dos viajes.

42. Cit. en Schaden 1955: 1159; 1993: 124. Steinen había comprendido muy bien en sus viajes la importancia de entablar una relación personal con los indígenas, e incluso de llegar a las aldeas en soledad, sin el ruido de una comitiva (König 2007: 134; Kraus 2007: 144).

43. A fines del siglo XIX, el Mato Grosso se convirtió en una región explotadora de caucho: desde Cuiabá partían diversas expediciones hacia los territorios indígenas, algunas de las cuales sucumbieron bajo las flechas (cf. la reseña de estas exploraciones en Schmidt 1942c).

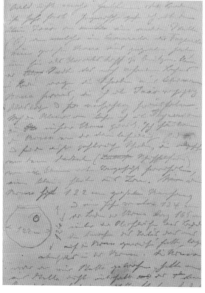

fig. 4

fig. 4 Libreta de campo de Max Schmidt
Max Schmidt's fieldwork notebook

accounts often served as a kind of *vademecum*, or hand-book, which enabled Schmidt to find his bearings in the web of indigenous social organization. Indeed, he found his first field guides among the Bacairí families with whom Steinen had become friendly.

Despite similarities in terms of the path followed and the journeys made by Steinen and by Schmidt differed in more ways than one. Von den Steinen's fieldtrips had the trappings of a typical nineteenth-century scientific expedition. On his first trip to the Xingu, in 1884, the party consisted of three Germans, two officers, twenty-five soldiers, four peons, and four "companions", plus six wagons, several mules and twenty-five oxen to carry the provisions and equipment (including boat-building tools, measuring instruments, and even a Virchow cephalom-eter). His second expedition, in 1887, was only slightly reduced in size: besides the company of two future distin-guished scientists, Paul Ehrenreich and Professor Vogel, it comprised a party of fourteen, along with eighteen mules and two horses (laden with seventy-five kilos of glass beads and metal goods to be used in exchange for indigenous artefacts). Schmidt, in contrast, was a solitary fieldworker; and, as we shall see, everything suggests that he chose and valued that solitude. Worthy of comparison with the preceding inventory, for example, is the scene described by Schmidt at the start of his trek. With the company of only one young man, Franza, and a boy called Anselmo, prog-ress—aided by three donkeys and a mule—was gruelling: "How were we to spend the night? Franza stood wrapped in his thick poncho, not knowing what to do. The mule threw itself into the water with its load. And Anselmo, finding the situation highly impractical, sobbed out loud."[41]

It seems that Steinen had stressed the need for inten-sive research among each of the Xingu groups, and Schmidt was to launch that programme with a study of the Kamaiurá (whose lands, finally, he never reached). In the words of Steinen himself, Schmidt's journey to the Xingu "dif-fered essentially from previous expeditions, because it was undertaken single-handedly, with only an indispensable minimum of travel companions and with the objective of remaining for a greater length of time with a single tribe, in order to enter more deeply into the mental world of still isolated Indians."[42] Even though Schmidt did not manage fully to apply that methodology, it was ahead of its time in an age in which geographical exploration was priori-tised and ethnologists were not accustomed to delaying to carry out intensive fieldwork. The practice of living with an indigenous group for a prolonged period had not yet become established as the ethnological method *par excellence*, and the objectives of exploration were of another order: greater urgency attached to regional issues than to localised studies of a single group. As we shall see, though, Schmidt took the path he followed not so much by virtue of any methodologi-cal prescription as in response to more subjective concerns, perhaps more compelling than the advice of his mentor.

Bearing in mind the dangers involved, the solitary manner in which Schmidt travelled is all the more strik-ing. In Cuiabá, while he was preparing his modest expedi-tion to the Xingu, he heard tales of much larger and better supplied outings that met a bloody end—a North American expedition, in particular, had recently been massacred, reportedly by the Suyá of the Curisevo River. Rubber-tappers were again hatching plans for incursions aimed at displacing the Kaiabi, plans with which Schmidt, when invited, refused to involve himself.[43] Against the backdrop of that none too encouraging setting, he awaited an oppor-tune moment for his departure: "What sense could be made of a sole European such as myself—a complete novice, to boot, in such matters—wishing to undertake that long trek with the company of only two men?" Needless to say, his innermost thoughts would have been incomprehensible to the rubber-tapping colonists: "The idea of soon being with the Indians of the Coliseu [Curisevo] River, entirely unknown to European civilization, was too deeply rooted in my spirit for me to be able to desist from it."[44]

After waiting a few months in Cuiabá for the end

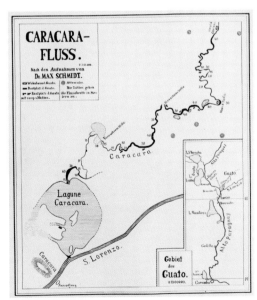

fig. 5

41. Schmidt 1942b: 10. For the rest of the long journey, Schmidt's guide was another young man, André. Many of the most moving pages in his account of the fieldtrip are about the friendship established between himself—an out-of-place German who, enthralled by the indigenous people, transported cases of books through the forest—and his loyal, unlettered companion. The friendship is reminiscent of the similarly intimate relationship between Steinen and Antonio, his Bacairí guide on both expeditions.

42. Quoted in Schaden 1955: 1159; 1993: 124. Von den Steinen had well understood the importance of establishing a personal relationship with the Amerindians. As a preliminary measure, for example, he would enter villages alone, in order to avoid the disturbance caused by the noise of the expeditionary group as a whole (König 2007: 134: Kraus 2007: 144).

43. At the end of the 19th century, the Mato Grosso began to be intensively exploited for rubber. From Cuiabá, parties of tappers set off into indigenous lands, some never to return. For an account of the rubber boom, see Schmidt 1942c.

44. Schmidt 1942b: 19. Even the hazards were grist to Schmidt's mill and, whenever possible, he put them to ethnographic advantage. On learning, for example, that the Bacairí of one village were preparing to kill one of his guides for having abandoned the spouse he had taken among them, Schmidt made the most of the moment with "interesting" observations about Bacairí marital obligations and their knowledge of poisons.

fig. 5   Mapa de Max Schmidt del río Caracará
Max Schmidt's map of the Caracará River

la civilización europea, se había enraizado demasiado en mi espíritu como para que pudiera desistir de ella".[44]

Luego de algunos meses en Cuiabá esperando el fin de la temporada de lluvias, Schmidt se internó en la selva el 19 de marzo de 1901. Tras 44 días de marcha alcanzó el Río Curisevo ("ese río que tantas veces pasó por mi pensamiento") donde halló a los primeros *Naturvölker* bacairís, quienes se acercaron con desconfiada lentitud en canoa. Luego de los saludos de rutina, "la canción tocada en el violín, '*Margarethe, Mädchen ohne Gleichen*' conquistó completamente sus corazones".[45] Descendió por el Curisevo en dos canoas fabricadas por sus generosos anfitriones. Durante esos días de plácida navegación a través del territorio bacairí, en compañía de tres indígenas amigos, con la caja de su violín haciendo las veces de mesa de escritura, comenzaba por fin a sumergirse en la selva y en la anhelada vida indígena:

> Ahora, los indios componían la mayoría de nosotros cinco; nuestro modo de vida fue asumiendo, por lo tanto, el tono indígena. (...) Los monos y los coatís cazados iban a parar al fuego, con pelo y tripas, y todavía estaban medio crudos cuando cada uno de nosotros arrancaba su pedazo predilecto con el cual se agasajaba. La distribución entre nosotros, unidos en una comunidad pequeña y con el solo destino del viaje, era completamente honesta. Los días que ahí pasé, en medio de la naturaleza virgen, compartiendo una vida salvaje, sin atender los cuidados y necesidades que aún sentía, son los más bellos del recuerdo que tengo de ese viaje.[46]

Estas líneas trasmiten bien sus anhelos personales, y en particular la idea –ciertamente extraña para un científico de la época– de despojarse de los hábitos europeos para mejor entender a los indígenas. En la siguiente población bacairí dejaría a un lado sus ropas y armas para arrojarse desnudo al agua, y permitiría que tatuaran diseños en su pálido brazo: "ahora el *caraiba* era un hombre igual a ellos, y a sus ojos mi desnudez era tan natural como la propia".[47]

No obstante, al adentrarse en territorio nahukuá (donde procuró hacerse entender echando mano a un vocabulario compilado por Steinen) la empatía encontró su límite, los bacairís lo abandonaron, y –siempre acompañado por el constante André– quedó a merced de nuevos guías. Con el robo de un hacha perpetrado por un exasperante cacique nahukuá comenzarían las desdichas. Lo que más temía Schmidt era verse implicado en involuntarias transacciones comerciales con los indígenas, que al parecer no sabía rechazar; no pocas veces deplora la insistencia de sus guías por detenerse en cada puerto a conferenciar con sus habitantes –lo cual implicaba una inevitable reducción de la limitada carga de baratijas y herramientas de metal que llevaba para trocar por alimento y manufacturas indígenas: su frustrada intención, casi siempre, era seguir de largo, apurar la marcha, continuar sin contratiempos ni gastos. Así, a lo largo del país nahukuá padeció los acosos de hombres y mujeres que a su juicio intentaban comprometerlo en trueques desventajosos, cuando no robar más o menos furtivamente sus pertrechos.[48] Comenzó a desconfiar, además, de los nuevos guías que lo acompañaban; sospechaba que lo único que les impedía alzarse con todo el equipaje era el temor a las armas de fuego –y, en efecto, poco después tres de estos nahukuás desaparecían en la selva llevándose una buena cantidad de baratijas. Aquí se sumaba el temor a un asalto de quienes sin dudas se habían vuelto enemigos: la constante vigilancia de las orillas, las vigías nocturnas, las armas de fuego cargadas y al alcance de la mano –para colmo de males, atravesaba campos de batalla de una vieja guerra entre los trumais y los suyás. Llegó, finalmente, a tierras auetö (o awetis), que en principio debían ser apenas una parada del viaje hacia los kamaiurás. Sin embargo, el frenesí de esta breve visita conseguiría vencer la perseverancia del viajero. El relato de esas jornadas compone una de las páginas más memorables del libro, que transmite cabalmente y con humor delicado las inestables relaciones entre el desamparado Schmidt y

44. Schmidt 1942b: 19. Por otro lado, Schmidt parecía siempre dispuesto a sacar provecho etnológico de los más peligrosos imprevistos; así, por ejemplo, cuando se enteró de que los bacairís de una aldea pretendían matar a uno de sus guías por haber abandonado una esposa que había tomado entre ellos, no dejó de realizar observaciones "interesantes" sobre las obligaciones matrimoniales y el conocimiento bacairí de ciertos venenos.

45. Schmidt 1942b: 46.

46. Schmidt 1942b: 55.

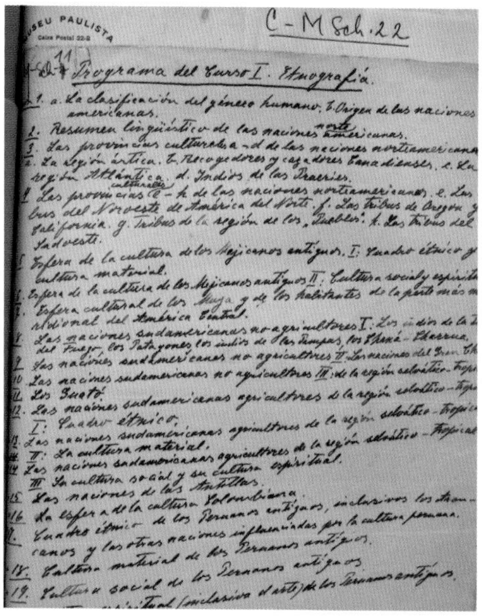
Museu Paulista
Caixa Postal 22-B

C-M Sch. 22

Programa del Curso I. Etnografía.

1. a. La clasificación del género humano. b. Origen de las naciones americanas.
2. Resumen lingüístico de las naciones norteamericanas.
3. Las provincias culturales a–d de las naciones norteamericanas. a. La región ártica. b. Recogedores y cazadores canadienses. c. La región Atlántica. d. Indios de las Praeries.
4. Las provincias culturales e–h de las naciones norteamericanas. e. Las tribus del Noroeste de América del Norte. f. Las tribus de Oregon y California. g. Tribus de la región de los „Pueblos". h. Las tribus del Sudoeste.
5. Esfera de la cultura de los Mejicanos antiguos. I: Cuadro étnico y cultura material.
6. Esfera de la cultura de los Mejicanos antiguos II: Cultura social y espiritual
7. Esfera cultural de los Maya y de los habitantes de la parte más meridional del América Central.
8. Las naciones sudamericanas no agricultores I: Los indios de la Tierra del Fuego, los Patagones, los indios de las Pampas, los Charrúa
9. Las naciones sudamericanas no agricultores II. Las naciones del Gran Chaco
10. Las naciones sudamericanas no agricultores III: de la región selvático-tropical
11. Los Guató.
12. Las naciones sudamericanas agricultores de la región selvático-tropical I: Cuadro étnico.
13. Las naciones sudamericanas agricultores de la región selvático-tropical II: La cultura material.
14. Las naciones sudamericanas agricultores de la región selvático-tropical III: Su cultura social y su cultura espiritual.
15. Las naciones de las Antillas.
16. La esfera de la cultura Colombiana.
17. Cuadro étnico de los Peruanos antiguos, inclusivos los ... canos y las otras naciones influenciadas por la cultura peruana.
18. Cultura material de los Peruanos antiguos.
19. Cultura social de los Peruanos antiguos.
... espiritual (inclusivo el arte) de los Peruanos antiguos.

fig. 6

47. Schmidt 1942b: 55. Caraiba es una palabra de origen tupí-guaraní, utilizada por muchos grupos de las tierras bajas sudamericanas para designar a los blancos.

48. Comenta con creciente desolación: "La visita de los nahukuás en su propio puerto produjo más el efecto de un asalto que el de una visita" (Schmidt 1942b: 59).

fig. 6 Programa del curso "Etnografía" de Max Schmidt en la Universidad de Asunción
Syllabus of Max Schmidt's "Ethnography" course at the University of Asunción

of the wet season, Schmidt set off into the forest on 19 March 1901. He walked for forty-four days before reaching the Curisevo, "that river so often in my thoughts". There he met his first *Naturvölker*—Bacairí who cautiously approached in their pirogues. After customary greetings, "the melody 'Margarethe, Mädchen ohne Gleichen', played on the violin, completely won their hearts."[45] Two dugouts were prepared for him by his obliging Bacairí hosts, and three of them accompanied him down the Curisevo. In the course of calmly plying the river through Bacairí territory, with his violin case doubling as a desk, Schmidt began to immerse himself in the forest and in the indigenous life that he had for so long been anticipating:

> The Indians now composed the majority in our party of five; accordingly, our way of life took on an increasingly indigenous character. [...] Hunted monkey and coati were placed directly on the open fire, fur and innards included, and they were only half-cooked when each of us tore off his favoured part on which to feast. United in our small community, with the voyage as our only goal, the distribution of the meat was entirely fair. Those days in the midst of virgin nature, sharing life in the wild without heed for the cares and needs that I yet felt, are the finest memories I have of that journey.[46]

The quoted passage conveys only too clearly Schmidt's conviction—unheard of in a scientist of his time—that, in order to understand the indigenous people, he had to divest himself of European habits. In the next Bacairí village at which he arrived, he was to shed his weapons and clothes and plunge naked into the river. He also consented to having motifs tattooed on his fair-skinned arm: "the *caraiba* was now a man like them. In their eyes, my nakedness was as natural as their own."[47]

Empathy, however, did not extend into Nahukuá terrain, despite Schmidt's attempts to make use of a vocabulary compiled by Steinen in order to make himself understood. The Bacairí abandoned him, and he was left, with his loyal companion André, in the hands of new guides. His tribulations began with the theft of an axe by an exasperating Nahukuá headman. Although he was wary of becoming engaged in involuntary commercial transactions with the indigenous people, Schmidt appears to have been incapable of declining them. On several occasions, he deplores his guides' insistence on stopping to enter into discussions at every port of call, as it inevitably resulted in a diminution of the limited cargo of metal tools and trinkets that he carried to exchange for food and indigenous products. His own intention, almost always frustrated, was to press ahead without delays or defrayals. Throughout his passage through Nahukuá land, however, he was hounded by men and women who, in his opinion, were seeking to engage him in disadvantageous barter, if not rob him more or less furtively of his stores.[48] He even began to mistrust his Nahukuá guides, suspecting that it was only their fear of his firearms that kept them from making off with all the equipment. Shortly afterwards, three of them disappeared into the forest with a fair amount of trinkets. The indigenous population was becoming openly hostile, and Schmidt began to fear an assault. This meant keeping a constantly vigilant eye on the banks, maintaining night watches and having the firearms loaded and close at hand. To add to his disquiet, he was traversing an area in which a long-standing conflict between the Trumai and the Suyá threatened to erupt in violence. When, at last, he reached the lands of the Auetö (or Aweti), where he was in principle due to make only a short break in his journey to the Kamaiurá, the frenzy of his brief sojourn finally overcame Schmidt's perseverance. His account of the stopover conveys with subtle humour the uneasy relations between the helpless visitor and his beaming hosts. It is worth quoting the account at length:

> A group of Auetó Indians soon appeared. They all bore

---

45. Schmidt 1942b: 46.

46. Schmidt 1942b: 55.

47. Schmidt 1942b: 55. The term *caraiba*, of Tupí-Guaraní origin, is widely used for "whites" by the peoples of lowland South America.

48. With mounting distress, Schmidt (1942b: 59) commented: "The visit we were paid by the Nahukuá at their landing stage gave the impression of an assault more than a visit."

fig. 7

fig. 7   Libretas de campo y tejidos chaqueños de Max Schmidt
Chaco fieldwork notebooks and textiles of Max Scmidt

sus risueños anfitriones, y que por tanto conviene transcribir *in extenso*:

> Pronto apareció un grupo de indios auetó. Todos estaban armados con arco y flecha, cosa que llamaba la atención. Intentaron robarnos inmediatamente. El cacique ya tenía el sombrero de André en la cabeza. Debajo de éste se veía la cuerda de nuestra ollita y, cuando la tomé abruptamente de la cabeza del jefe, cayó de su interior un montón de pañuelos de colores. Habían enterrado nuestro plato, que era blanco, en restos de harina. André cargó todo lo que pudo; yo tomé la escopeta, el aparato fotográfico, la caja con los cartuchos y tres sacos de perdigones. El peso era casi insoportable, principalmente cuando se estaba obligado a correr detrás de los indios que procuraban alejarse con lo que llevaban. En dos puntos había un arroyo muy profundo con un puente de tronco tan estrecho que preferí pasar por el agua. Entretanto, nuestros cargadores indios se dispersaban. Era evidente que muchas cosas estaban siendo robadas, pero sólo pudimos evaluarlo al llegar a la aldea, donde los objetos fueron introducidos en el rancho festivo. Poco después, André vino a decirme que nuestro último saco de cuentas también faltaba. Decididamente, no teníamos casi nada para los indios camayurá, y por lo tanto era preciso permanecer aquí, pues en esta situación no era posible adelantarnos. Llamé al jefe de la tribu, y le dije que deseaba permanecer más tiempo entre ellos, y que más tarde distribuiría mis cosas entre los auetó, pero que quería que me devolvieran el saco con baratijas; de lo contrario regresaría inmediatamente y ellos no recibirían nada. El cacique fingió que intentaba obtener la devolución de las baratijas, gritando en el medio del terreno en todas direcciones, en vano. Los indígenas se volvían cada vez más desvergonzados con sus pedidos y atrevimientos. Mientras André dormía le robaron casi todo lo que poseía en el cuerpo, incluyendo el machete que reposaba a su lado. Indignado al verse despojado de este modo, quiso embestir a los nativos con el arma en la mano, y sólo conseguí calmar su cólera cuando le ofrecí mi propio cuchillo. Nuevamente busqué al jefe para decirle que nuestras cosas no se hallaban muy seguras en el rancho festivo, a lo que nos ofreció su casa. Todo fue transportado para allá, las hamacas fueron colgadas allí, nos dieron bebidas y *beijús* y todo parecía estar mejor. Dejé por un rato al jefe a cargo de los equipajes, mientras André y yo íbamos a una laguna cercana para tomar un baño. Al regresar encontramos a nuestro cacique distribuyendo las últimas piezas de nuestro saco de ropa entre los indios que formaban un círculo a su alrededor. Ahora sólo me quedaba la camisa que tenía puesta y unos pantalones harapientos. Hasta las más mínimas menudencias que tenía en el saco se habían ido, por lo que declaré a André mi intención de madrugar al día siguiente y regresar junto a los bacairí.[49]

Durante la noche que pasaron en la aldea, los expedicionarios a duras penas consiguieron salvar las armas de fuego. Como si esto fuera poco, la penosa vela les impidió presenciar las danzas rituales que se desarrollaban en la plaza, al otro lado de las paredes del rancho, cuyos tambores y regocijos debieron escuchar durante toda la noche. Las desventuras se agravarían al día siguiente, en el camino de regreso hacia los botes, cuando los cargadores auetö nuevamente desaparecieron en la selva con casi toda la carga, incluyendo las colecciones etnográficas, y los dos sufridos exploradores debieron esgrimir sus armas para conservar al menos los botes. Luego de un solitario día de remo, río arriba, un último recuerdo auetö los esperaba: "Dada la cantidad de mosquitos, queríamos extender nuestras hamacas una debajo de la otra, bajo la protección del mosquitero; pero comprobamos que los indígenas habían arrancado buena parte del mismo, de modo que ahora era más un atrapa-mosquito que un abrigo contra esa plaga".[50] El resto del viaje hacia el territorio bacairí es una huida

49. Schmidt 1942b: 64-65.

50. Schmidt 1942b: 69.

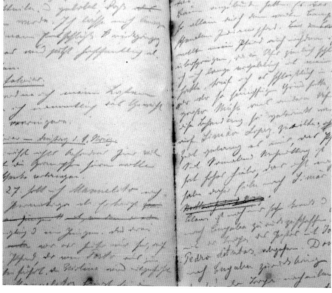

fig. 8

bows and arrows, which was striking. They immediately tried to steal from us. The headman was already sporting André's hat, beneath which showed the strap of our little saucepan. When I gave it a sharp pull, a bundle of coloured kerchiefs fell out. Our plate, which was white, had been buried in the remains of some flour. André transported all he could, while I carried the shotgun, the photographic apparatus, the box of cartridges, and three bags of shot. The weight was almost unbearable, particularly when it was necessary to chase the Indians, who were making off with what they could. A deep stream that crossed our path at two points was forded by such narrow log bridges that I opted to wade across in the water. Meanwhile, our Indian porters were heading in different directions. It was readily apparent that much was being purloined, but it was only when we reached the village—where our belongings were placed in the ceremonial house— that we could calculate our losses. Shortly afterwards, André came to tell me that our last sack of beads was also missing. It was decisively evident that almost nothing remained for the Camayurá. It would therefore be necessary to stay here because, under the circumstances, it was impossible to go any farther. I called the headman and told him that I wished to stay longer and that I would distribute gifts among the Auetó once the sack of beads had been returned. Otherwise, I would leave immediately and they would receive nothing. In a feigned attempt to have the trinkets returned, the headman stood in the centre of the village and vociferated in all directions. But it was in vain. The Auetó villagers became ever more uninhibited in their requests and their liberties. While André was asleep, they robbed him of almost everything he had on him, including the machete that lay by his side. Indignant at finding himself thus despoiled of his pertinences, he would have attacked the natives, gun in hand, had I not been able to assuage his anger

by offering him my own knife. Again I sought out the headman, to tell him that our belongings were not very secure in the ceremonial house, to which he offered to accommodate us under his own roof. We were duly transferred to the headman's abode, where our hammocks were slung and we were given beverages and *beijús*. Our circumstances appeared to have improved, so, leaving the headman briefly in charge of our luggage, André and I went to bathe in a nearby watersite. On returning, we found the headman encircled by natives to whom he was distributing the last items in our clothes bag. All I now had was the shirt I was wearing and some ragged trousers. Everything in the sack had gone, down to the least trifles. I therefore announced to André that we would be leaving at first light to return to the Bacairí.[49]

During the night they spent in the village, the expeditionaries were at pains to ensure the safety of their firearms. The arduous vigil prevented them from attending the ritual dancing that took place in the centre of the village, outside the lodge whose walls shielded the dancing from view without blanketing the sound of drumming and rejoicing which continued throughout the night. The following day, on the way back to the pirogues, their misadventures were compounded by the loss of almost all of their supplies, including their ethnographic collection, which the Auetö porters carried off into the forest. It was only by making a show of their weapons that the two hapless explorers were able to prevent their rivercraft from going astray. After a day of solitary, upstream paddling, they were to be given a further reminder of the Auetö: "Given the quantity of mosquitoes, we decided to hang our hammocks one under the other, under cover of the mosquito net. We soon discovered, however, that the natives had ripped out part of the mesh, making the net more a mosquito trap than the shelter it was designed to be."[50] The rest of the journey to Bacairí territory was a famished, agonized flight in which contact with the

49. Schmidt 1942b: 64–65.

50. Schmidt 1942b: 69.

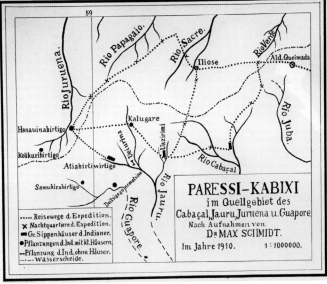

fig. 9

desesperada, agónica, hambrienta, evitando todo lo posible el contacto con los indígenas por miedo a los pedidos y los robos; una huida sólo compensada por un bote auetö que los alcanzaría tres días más tarde para devolverles algunos objetos. La explicación de Schmidt para este gesto es una muestra de su honda decepción: sospecha que se trata de un pago para evitar una venganza. Debieron entonces despojarse de los últimos botones y anillos para comprar algunos pescados antes de llegar a los bacairís. Pero aun en esta situación desesperada encontramos notas de templanza:

> El viaje, a pesar de todo, era agradable. Cuando nuestro bote se deslizaba muy tranquilamente por la orilla del río antes del anochecer, largas bandadas de araras pasaban de dos en dos sobre las aguas, centellando su plumaje rojo y azul sobre los reflejos del sol poniente. No había hallado lo que había venido a buscar: una vida confortable entre los hijos de la selva. Los esfuerzos sobrehumanos invertidos, la constante inquietud, todo esto me proporcionó pocos momentos de placer, y ahora ya estaba regresando.[51]

Finalmente consiguió alcanzar la aldea bacairí. Pero allí, debilitado por los días de hambre y sacrificio, no encontró fuerzas para dedicar a la etnografía. Su alojamiento, por otro lado, no favorecía la convalecencia:

> Pensé que podría dormir sosegadamente esta noche, pero apenas me había recostado en la hamaca dos bailarines aparecieron chillando, batiendo los pies y cantando, y luego se retiraron por una pequeña puerta para continuar la misma cosa en otro rancho. A los dos minutos los bailarines entraban en el rancho con un estridente *có cohohohohó*, que pretende imitar la voz de cierto pájaro, batían los pies durante algunos minutos (...) Si yo me cubría la cabeza con mi frazada de lana para oír lo menos posible, los cantores venían todavía más cerca de mi hamaca y el *có cohohohohó*

devenía todavía más agudo.[52]

Pasaría sus últimos días entre los bacairís echado en la hamaca, abandonado por sus antiguos guías, con la única compañía de los niños y de las mujeres –sentados desnudos encima suyo y obsesionados por escuchar la canción *Margarethe* una y otra vez–, alimentado con *beijús* que aborrecía cada vez más, contentándose con observar la vida cotidiana en la casa comunal, resistiendo las curaciones chamánicas, presintiendo los síntomas inequívocos de la malaria. Antes de abandonar a los bacairís entregaría al jefe de la aldea el último despojo de sus anhelos etnográficos: las semillas que había traído –como recuerdo de Alemania– para sembrar alrededor de la choza que planeaba ocupar por muchos meses entre los kamaiurás.

Pronto los recuerdos indígenas que llevaba hacia Europa correrían una suerte simétrica: la canoa del regreso naufragó, arruinando todas las placas fotográficas. Desde aquí la penosa caminata de varias jornadas hasta el Río Paranatinga evoca las postrimerías de un naufragio mucho mayor: enfermos de malaria, Schmidt y André son dejados atrás por el resto de la compañía, y se alimentan de cacerías inciertas, deshaciéndose de sus últimos bienes –en el ápice de la desesperación, Schmidt llegaría a desechar el diario de viaje, felizmente rescatado por su compañero. Sin embargo, irónicamente, las colecciones que debieron abandonar a la vera del río, y que con buen criterio Schmidt consideraba perdidas para siempre, llegarían a Berlín tres años más tarde, en 1904, tras ser transportadas a pie por unos abnegados bacairís hasta Cuiabá, naufragar nuevamente en el Río Itaisi, quedar varadas en sus orillas, ser rescatadas por un vapor que las llevó hasta Corumbá, y ser finalmente adquiridas por el cónsul alemán que pasaba casualmente por el pueblo. Una suerte extraordinaria que sólo hacía una justicia tardía a los heroicos esfuerzos de Schmidt, muchas veces ingratos, para reunir y arrastrar los objetos a través de la selva.[53]

La malaria iba a postrarlo durante algunos meses, al

---

51. Schmidt 1942b: 75.

52. Schmidt 1942b: 84.

53. Johnge 1906.

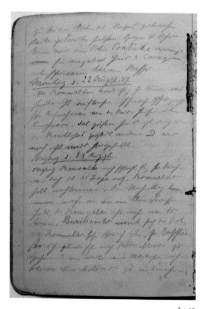

fig. 10

fig. 10 Libreta de campo de Max Schmidt
Max Schmidt's fieldwork notebook

indigenous people was avoided as far as possible, for fear of further gift requests and thieving. The only compensation came in the form of an Auetö pirogue which caught up with them after three days in order to return certain objects. Schmidt's explanation of the gesture gives poignant expression to his disenchantment: he interpreted the restitution as a form of payment to forestall revenge. In exchange for fish, however, he had to relinquish his last remaining buttons and rings before reaching the Bacairí. But even that tale of woe is nuanced by a milder tone:

> In spite of everything, the journey was pleasant. Just before nightfall, as our dugout canoe slipped peacefully past the riverbank, flocks of arara birds flew over the surface of the water in pairs, their red and blue plumage glistening in the light of the setting sun. I had not found what I had come in search of: conviviality with the children of the forest. The prodigious effort required, and the constant anxiety, afforded me scarce moments of pleasure . . . and now I was leaving.[51]

When he finally reached the Bacairí village, after days of hunger and hardship, Schmidt was too weakened to be able to apply himself to ethnography. Nor was his recovery assisted by his place of abode:

> I thought I would be able to sleep peacefully that night, but no sooner had I taken to my hammock than two dancers appeared, beating the ground with their feet and chanting. After a while they left by a small door and continued with the same procedure in another dwelling. Two minutes later, the dancers returned with a strident *có cohohohohó*, in imitation of a certain birdsong, and beat the ground with their feet for several minutes [. . .]. If I attempted to muffle the sound by covering my head with my woollen blanket, the singer-dancers came closer to my hammock and the *có cohohohohó* became even more piercing.[52]

His last days with the Bacairí were spent lying in his hammock. Abandoned by his former guides, his only company was that of women and children who sat, unclothed, on top of him, insatiably curious to hear the "Margarethe" melody over and over again. On a diet of plain *beijús*, which he found increasingly distasteful, he passed the time observing daily life in the communal house. Malarial symptoms were beginning to make themselves felt, but he resisted shamanic attention. Before leaving the Bacairí, he presented the village head with the last remaining vestige of his ethnographic project: the seeds which he had brought from Germany to sow around the hut that he intended to occupy during the months of his proposed fieldwork among the Kamaiurá.

A parallel fate was soon to befall the record of indigenous life that Schmidt was taking back to Europe. His dugout canoe overturned on the way out of the forest, irreparably damaging all his photographic plates. The subsequent overland haul to the Paranatinga River—a trek of several days—is reminiscent of the aftermath of a major shipwreck. Schmidt and André, both of them ill with malaria, are left behind by the rest of the party. Feeding on what little they can hunt, they rid themselves of their last remaining burdens, even to the point where Schmidt, in desperation, discards his travel diary (fortunately retrieved by his companion). What remains of the ethnographic collection is abandoned beside the river and given up for lost by Schmidt. By an extraordinary turn of events, however, the material arrived in Berlin three years later in 1904. Carried on foot to Cuiabá by benevolent Bacairí, washed up on the banks of the Itaisi River after another river accident, rescued by a steamboat and taken to Corumbá, and finally acquired by the German consul, who happened to be passing through that riverside town . . . the good fortune that befell the collection did belated justice to the heroic exertions that had been required of Schmidt, often under the most demanding conditions, in order for him to obtain the pieces and haul them through the forest.[53]

51. Schmidt 1942b: 75.

52. Schmidt 1942b: 84.

53. Johnge 1906.

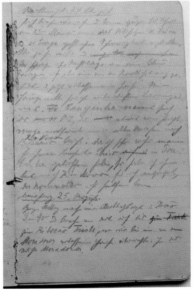

fig. 11

fig. 11   Libreta de campo de Max Schmidt
Max Schmidt's fieldwork notebook

cabo de los cuales tuvo oportunidad de redimir los fracasos del Xingu: recibió de Berlín la autorización para realizar un breve viaje de campo a los guatós -los míticos habitantes de los pantanales del alto Paraguay mencionados en las crónicas de Cabeza de Vaca y Félix de Azara. En 1901 los guatós eran pocos y su cultura material mostraba ya el impacto del frecuente contacto con los brasileños; de hecho, las más interesantes páginas que Schmidt dedica a este grupo son probablemente aquellas que tratan los procesos de aculturación. En principio, el alto Paraguay no parecía tener el misterioso encanto del recóndito Xingu, y por otro lado su principal urgencia era reunir una colección digna para llevar a su museo. El viaje sólo duraría tres semanas. Sin embargo, también aquí los viejos anhelos románticos y el espíritu empático del etnógrafo acabarían por imponerse a los afanes del coleccionista:

> Así estaba meditando en la noche, en la playa, delante de una vasta sábana de agua con las montañas como fondo. Pensaba que mi deseo más ardiente era vivir algunos meses en ese pequeño y bonito rincón de la tierra, entre esa gente simple y satisfecha (...) Un viento frío llegó de la superficie de las aguas sumergidas en la niebla. Una sensación extraña se apoderó de mí. La viola y el canto en la selva llegaban desde lejos hasta mis oídos, los indios se preparaban nuevamente para un *cururú* [baile], recordándome que no debía, por esperanzas perdidas, desdeñar lo que me ofrecía el presente. De manera que fui hasta allá y bailé un alegre vals con la pequeña María.[54]

Con su diario de campo, algunos vocabularios y la colección guató, Schmidt emprendió el regreso hacia Berlín a fines de 1901. Durante algunos años se abocó a sus rutinarias tareas en el Museo, publicando estudios sobre las colecciones. En 1910 tuvo oportunidad de regresar al Mato Grosso, aprovechando una invitación al Congreso Internacional de Americanistas que se realizó en Buenos Aires. Regresó en primer lugar a las aldeas guató, donde se interesaría por los montículos que estos indígenas utilizaban en sus plantaciones.[55] Luego, remontando aun más el Paraguay, se adentró en territorio de una parcialidad paresí (auto-designados "kozarinis" aunque también conocidos como "kabichis"), "que vivían allí todavía en estado primitivo e independiente".[56] Las fotos kozarinis que aquí publicamos proceden de este viaje, e ilustran bien las características físicas que impresionaban a los viajeros: el torso musculoso, las piernas delgadas y combadas -producto, según cree Schmidt, de vivir casi todo el año surcando las tierras anegadas en canoa.[57]

2.b. Los arawak y la economía política

Tal vez alentado por esta última experiencia de campo con un grupo de habla arawak, Schmidt dedicaría su tesis doctoral a un estudio comparativo sobre esta familia lingüística. Titulada *Die Aruaken. Ein Beitraga zum Problem der Kulturverbreitung* ("Los arawak: una contribución al problema de la difusión cultural"),[58] la tesis replanteaba una problemática propuesta por Steinen, quien delimitó por primera vez la familia lingüística arawak, para la cual propuso el nombre "nu-aruak".[59] "Esta obra de Max Schmidt -observa Baldus- hizo época en la etnología sudamericana".[60] En efecto, a la luz de los conocimientos actuales podemos seguir afirmando que la tesis fue importante por varios motivos.

En primer lugar, a nivel de la etnología comparativa, por su aporte pionero al estudio integral de la familia lingüística arawak -acaso la más ampliamente distribuida en Sudamérica cuando llegaron los europeos.[61] Schmidt procuró rastrear tanto arqueológica como históricamente una densa trama de préstamos, conexiones y transformaciones entre los arawak y diversas culturas amazónicas, pedemontanas y andinas -lo cual justificaba considerarlos una "alta cultura" según las categorizaciones de la época.

En segundo lugar, la tesis era significativa porque sobre

---

54. Schmidt 1942b: 123.

55. Schmidt 1914a.

56. Schmidt 1914b.

57. Los kozarinis son una parcialidad paresí (arawak) ubicada en las cabeceras de los ríos Juba, Cabaçal, Jaurú, Guaporé, Verde, Papagaio, Burity y Juruena. El nombre "kabichi" o "kabiyi" les fue dado por otros paresís y sus vecinos, pero no debe confundírselos con los "kabiyi salvajes" (nombre que designa a los nambikuaras de Serra do Norte y a otros grupos del Guaporé) (Métraux 1942: 160-161).

58. Schmidt 1917.

59. El prefijo pronominal -*nu* es característico de estas lenguas.

60. Baldus 1954: 641.

61. Según Schmidt (1926: 246), una prueba curiosa de la importancia de los arawak es el hecho de que las lenguas europeas asimilaron muchas palabras provenientes de las lenguas arawak septentrionales: tabaco, hamaca, canoa, maíz, etc. De modo general, los arawak pueden dividirse en tres grandes conjuntos: 1) los arawak meridionales (mojos, baures, paresís, xinguanos, chanés, terenas-guanás); 2) los sudoccidentales (piros, campas, yaneshas, chamicuros); 3) los septentrionales (taínos, lokonos, achaguas, wakuénais, wapishanas). Para estudios comparativos sobre los arawak, cf. Pohlmeier 1952; Hornborg 1988; Hill y Santos Granero 2002.

After a few bedridden months in the grips of malaria, the opportunity arose for him to make good the shortcomings of his Xingu expedition. He received authorization from Berlin for a brief fieldtrip to the Guató, the legendary inhabitants of the wetlands of the upper reaches of the Paraguay River who are mentioned in the chronicles of Cabeza de Vaca and Felix de Azara. In 1901, the Guató were few in number, and frequent contact with Brazilians had had a marked impact on their material culture. Indeed, Schmidt's treatment of the subject of their acculturation stands out in his writings on them. The visit was a short one, lasting only three weeks, partly because the upper reaches of the River Paraguay did not hold the same magical attraction for Schmidt as the remote Xingu, and partly because he had an urgent task to perform: the formation of a potential ethnographic collection for his museum. Nevertheless, his Romantic inner self and his ethnographer's empathic spirit were not completely stifled by his pursuits as a collector:

> From the shoreline of a vast expanse of water rimmed with mountains and wrapped in the darkness of night, I felt an ardent desire to spend a few months living in that beautiful landscape, amid the contented simplicity of its people. [. . .] A cold gust of wind blew off the surface of the misty water, interrupting my thoughts with strange sensations. From the forest came the distant sound of a viola and song. The natives were beginning another *cururú* dance, and I was reminded that unfulfilled hopes do not justify dismissing what the present has to offer. So I went and waltzed merrily with young Maria.[54]

Schmidt returned to Berlin in late 1901, with his field diary, various indigenous vocabularies, and his collection of Guató artefacts. There, for several years, he committed himself to routine museum activities, including publications on its collections. In 1910 the opportunity arose for him to return to the Mato Grosso when he was invited to participate in an International Congress of Americanists held in Buenos Aires. He returned to the Guató, focusing his interest on the mounds they used in their crop production.[55] From there he continued up the Paraguay River into the terrain of a Paresí population. Referring to themselves as Kozarini, and known also as Kabichi, they lived "in a still primitive, independent state".[56] The Kozarini photographs that we here reproduce were taken by Schmidt in the course of that journey. They illustrate the characteristic physical features—thin, bowed legs beneath muscular torsos—that were consistently commented on by travellers, and which Schmidt attributed to the fact that the people spent the greater part of the year in dugouts, manoeuvring their way over the waterlogged lands.[57]

2.b. The Arawak and political economy

It is possible that Schmidt's recent field experience with an Arawak-speaking group inspired the subject matter of his doctoral thesis, *Die Aruaken. Ein Beitrag zum Problem der Kulturverbreitung* ("The Arawak: A contribution to the problem of cultural diffusion").[58] As a comparative study of the Arawak language family, the thesis addressed the issue raised by Steinen, who had been the first to identify, and define the limits of, the Arawak linguistic family, for which he coined the name Nu-aruak.[59] In the light of current knowledge, it can justly be said that the thesis, described by Baldus as "a landmark in South American ethnology", was important for a variety of reasons.[60]

Firstly, from the point of view of comparative ethnology, it made a breakthrough in terms of the holistic study of the Arawak language family—possibly the most widely distributed such family in South America at the time of the first arrival of Europeans on the continent.[61] Schmidt strove to trace, both historically and archaeologically, a dense array of loans, affinities, and transformations between the Arawak and diverse Amazonian, Andean, and piedmontese

---

54. Schmidt 1942b: 123.

55. Schmidt 1914a.

56. Schmidt 1914b.

57. A subgroup of the (Arawak-speaking) Paresí people, the Kozarini inhabit the headwater region of the rivers Juba, Cabaçal, Jaurú, Guaporé, Verde, Papagaio, Burity, and Juruena. Known to their neighbours and other Paresí as Kabichi, or Kabiyi, they are not be confused with the "wild Kabiyi", the name given to the Nambikuara of Serra do Norte and other River Guaporé groups (Métraux 1942: 160–61).

58. Schmidt 1917.

59. The prefix *nu-* is a characteristic feature of Arawak languages.

60. Baldus 1954: 641.

61. Schmidt (1926: 246) advanced a curious thesis according to which the importance of the Arawak peoples is reflected in the fact that several words belonging to northern Arawak languages have been incorporated into European languages: tobacco, hammock, canoe, maize, etc. In general terms, the Arawak can be grouped according to a tripartite division: 1) southern Arawak (Mojo, Baure, Paresí, Xinguans, Chané, Terena-Guaná); 2) south-western Arawak (Piro, Campa, Yanesha, Chamicuro); 3) northern Arawak (Taíno, Lokono, Achagua, Wakuénai, Wapishana). For comparative Arawak studies, see Pohlmeier 1952; Hornborg 1988; Hill and Santos Granero 2002.

la base de sus lecturas, su conocimiento museográfico de la cultura material amerindia y los breves viajes de campo a los arawak meridionales, Schmidt logró anticipar buena parte de los más recientes hallazgos arqueológicos y antropológicos sobre dicha familia lingüística: así, por ejemplo, ubicaba el origen de la irradiación arawak en el noroeste amazónico.[62]

En tercer lugar, y fundamentalmente, lo novedoso de la tesis era su misma lógica analítica. Schmidt procuraba explicar la inmensa difusión de la familia arawak. A diferencia de autores posteriores como Lathrap o Carneiro, postulaba que dicha expansión no podía explicarse demográficamente por migraciones masivas que penetran en regiones despobladas, o dominando a las poblaciones nativas, ni tampoco por factores ecológicos, los cuales varían enormemente en las zonas en donde se establecieron los distintos grupos arawak. Schmidt privilegia en cambio el análisis de las condiciones socioeconómicas. Fundamentalmente, proponía que la expansión arawak se debió a la política expansiva de sus "clases dominantes". Sea por medios pacíficos (derecho materno, exogamia, alianzas matrimoniales) o violentos (rapto de mujeres, robo de niños, guerra), el afán expansivo de esas clases perseguía recurrentemente tres metas: la ocupación de la tierra, la captación de la mano de obra, y la obtención de los medios de producción. Más que una expansión arawak, entonces, debía hablarse de una "colonización arawak". Si el motor económico de este proceso era la agricultura sedentaria e intensiva, su expansión se plasmaba en la formación de una estructura social jerárquica, compuesta por una clase dependiente y otra dominante. Por lo tanto, las consecuentes diferencias culturales, lingüísticas y étnicas entre los arawak se debían en cada caso a procesos diferentes de simbiosis entre las elites y sus poblaciones dependientes.[63]

Esta hipótesis se adelanta a su tiempo porque concibe a los grupos arawak como sociedades esencialmente mixtas, híbridas, mestizas, alejadas en definitiva del tipo ideal "una etnia = un territorio = una lengua = una cultura" que más

tarde impugnarían las modernas ciencias sociales. Por otro lado, Schmidt también se preocupó por echar luz sobre la naturaleza precisa de las relaciones entre los diversos segmentos sociales que las componían. Entre las clases "dominantes" y "dependientes" percibía una dominación marcadamente diplomática, económica, política y cultural –una dominación no agresiva como la tupí-guaraní, sino caracterizada por la producción de excedentes de agricultura, por la diferenciación social y por la imposición de una cosmología compartida. Concibió así la sociabilidad arawak como una estructura latente que condensaba posibilidades como el sedentarismo, la agricultura intensiva, la organización social supra-regional basada en redes de intercambio, la oposición a la guerra endógena y, principalmente, una tendencia notable hacia la jerarquización social plasmada en la ideología de la descendencia y el orden de rango hereditario, el parentesco genealógico y la legitimación cosmológica.[64]

En la argumentación, por otra parte, se perciben dos rasgos que caracterizarían crecientemente a la etnología de Schmidt: primero, la crítica a las reconstrucciones conjeturales de la escuela difusionista; segundo, el marcado énfasis analítico puesto en las dimensiones económicas de la vida humana. En efecto, como hemos dicho, Schmidt desconfiaba de los "paralelos etnológicos" que llevaban a la postulación de *Kulturkreise* ("círculos culturales"), y criticaba severamente el trazado arbitrario de líneas de difusión así como también la típica práctica museológica de considerar a los objetos etnográficos sólo en sus aspectos morfológicos, sin tomar en cuenta las funciones que los mismos desempeñaban en cada grupo particular. En otras palabras, sus análisis "de gabinete" no perdían nunca de vista la vida indígena que había conocido en el campo.[65] Estas objeciones serían llevadas al plano teórico general en su manual *Völkerkunde* (Etnología), publicado en 1924, donde –haciendo gala del empirismo inductivo pregonado por Bastian– impugnaba los argumentos hipotético-deductivos en que solía incurrir el difusionismo: "Se cree que

---

62. Susnik 1971, 1994; Heckenberger 2002, 2005; Heckenberger y Goés Neves 2009.

63. Métraux resumió bien el punto: "En la opinión de Max Schmidt, la conquista progresiva de la región por los paresí-kabiyi ilustra el carácter de las migraciones arawak: a través de constante guerra, intercambio matrimonial y esclavizamiento, pequeños grupos guiados por personalidades poderosas impusieron la cultura y el idioma arawak sobre pueblos de un origen muy diferente" (Métraux 1942: 161).

fig. 12

64. En esta perspectiva, las famosas "jefaturas teocráticas" que Julian Steward luego descubriría en sociedades arawak como los paresís, los mojos o los baures no eran fenómenos históricos excepcionales sino desarrollos latentes de esa sociabilidad arawak (Steward 1949: 728-730).

65. En sus análisis de la cultura material, por ejemplo, proponía que "las casas o las plantaciones deben ser estudiadas en el terreno" (Schmidt 1926: 42; cf. Baldus 1951: 254, 1954: 642). Schmidt no deja la menor duda al respecto: "En sentido estricto, el único material de primera clase consiste de hechos antropológicos determinados por la observación científica en el terreno; así, el método ideal de obtener material es que etnólogos competentes vayan a vivir un tiempo entre los nativos, en lugares que hayan sido afectados lo menos posible por la civilización europea, compartiendo la vida de la gente y familiarizándose íntimamente con ellos y sus condiciones de vida" (Schmidt 1926: 42).

fig. 12   Mapa de la expedición a los paresís (1910)
Map of expedition to the Paresí (1910)

cultures, thereby according them the status of a "high culture", according to the categories of the period.

Secondly, the thesis was significant because, basing himself on the available literature, on museological evidence of Amerindian material culture, and on his own brief periods of fieldwork among the southern Arawak, Schmidt anticipated many of the most recent archaeological and anthropological discoveries concerning the language family. To give but one example, he located the origin of Arawak dispersal in northwest Amazonia.[62]

Thirdly, and most importantly, the thesis was novel on account of its analytical logic. In answer to the question of how to explain the widespread diffusion of the Arawak language family, Schmidt argued—unlike later authors, such as Lathrap and Carneiro—that the factors responsible were neither demographic nor ecological. That is to say, it was not the result of large-scale migrations leading either to the penetration of unpopulated areas or to the domination of preexisting populations. And the ecological niches in which Arawak groups established themselves vary greatly. Instead, Schmidt favoured a socioeconomic analysis, essentially proposing that the Arawak diaspora was due to the expansive policy of their "dominant classes". These, by peaceful means (marriage alliance, exogamy, maternal right) or by force (direct aggression, bride-capture, child-abduction), sought to fulfil three constant objectives: occupation of land, control of the workforce, and ownership of production. Arawak expansion, in other words, is better understood as "Arawak colonization". Based on sedentary, intensive agriculture, the key lay in the formation of a hierarchical social structure comprising two classes: one dominant and the other dependent. The cultural, linguistic, and ethnic differences among Arawak-speakers were, then, to be understood in terms of variant processes of symbiosis between the two classes.[63]

The hypothesis was ahead of its time because it conceived of the Arawak as a hybrid conglomeration of intermingled, essentially mestizo societies. As such, it departed from the ideal equation according to which: one ethnic group = one territory = one language = one culture (an equation which, be it said in passing, has since been impugned by modern social sciences). At the same time, Schmidt was concerned with shedding light on the precise nature of the relations between the component sectors of the associated societies. In the relation between the "dominant" and "dependent" classes, he detected a form of dominance that was not aggressive, as among the Tupí-Guaraní, but rather diplomatic, sustained by economic, political, and cultural means. It was characterized by the production of agricultural surpluses, by social differentiation and by the imposition of a shared cosmology. He thus came to represent Arawak sociability as a latent structure that potentially combined a sedentary residence pattern, intensive agriculture, a supra-regional social organization based on exchange networks, an absence of internecine warfare, and, above all, a marked tendency towards a hierarchical social structure. The latter was rooted in a cosmologically legitimated ideology of descent based on genealogical kinship, with an established ranking order as regards inheritance.[64]

Central to Schmidt's theory are two lines of argument that were increasingly to become hallmarks of his ethnology: firstly, his criticism of the conjectural reconstructions to which the diffusionist school typically resorted; secondly, the analytical emphasis he placed on the economic dimensions of human life. As already stated, Schmidt was mistrustful of the "ethnological parallels" that led to the invention of *Kulturkreise* ("culture circles"). By the same token, he was severely critical of the arbitrary plotting of diffusion lines. He was also dismissive of the typical museological focus on the morphological aspects of ethnographic objects, to the exclusion of their significance for the societies that produce them. In other words, his academic analyses were never divorced from his own firsthand experience of indigenous conditions of life.[65] Schmidt developed his critique in *Völkerkunde* (Ethnology), a theoretical work

---

62. Susnik 1971, 1994; Heckenberger 2002, 2005; Heckenberger and Goés Neves 2009.

63. A useful synopsis of Schmidt's thesis is provided by Métraux (1942: 161): "In Max Schmidt's opinion, the progressive conquest of the region by the Kabiyi Paresí illustrates the character of Arawak migration. Under the guidance of dominant personalities, small groups imposed Arawak culture and language on peoples of very different origin by means of constant warfare, marriage exchange, and servitude."

64. In keeping with Schmidt's analysis, the notorious "theocratic chiefdoms" subsequently identified by Steward (1949: 728-30) among Arawak societies such as the Paresí, Mojo, and Baure were not isolated historical phenomena but rather inherent developments of Arawak sociability.

65. Schmidt was categorical: "Strictly speaking, first-class material consists exclusively in anthropological facts that have been ascertained by *in situ* scientific observation. Hence, the ideal method for obtaining material is for competent ethnologists to live for a time among the natives, in places as little as possible affected by European civilization, there to share in the life of the people and intimately familiarize themselves with the people and their conditions of existence" (1926: 42). With regard, for example, to material culture, he proposed that "the dwellings and plantations must be studied on the ground" (Schmidt 1926: 42; cf. Baldus 1951: 254; 1954: 642).

incluso las concordancias entre las civilizaciones del Nuevo Mundo y el Mundo Antiguo deben atribuirse en casi todos los casos a préstamos del Mundo Antiguo, y sobre esta base se procede a extraer las más nebulosas conclusiones sobre migraciones que tuvieron lugar desde el Mundo Antiguo".[66]

El interés por las cuestiones económicas no era una excentricidad, sino un tema compartido por un buen número de etnólogos alemanes de las primeras décadas del siglo XX: Ernst Grosse, Karl Bücher, Eduard Hahn, Julius Lips. Observando en las colecciones museológicas la preeminencia de objetos ceremoniales, rituales y ornamentales por sobre los artefactos de uso cotidiano, Schmidt publicó en 1920 y 1921 los dos gruesos tomos de los *Grundriss der ethnologischen Volkswirtschaftslehre* ("Cuadernos de economía política etnológica").[67] El objetivo era dotar de una metodología y un objeto bien definidos a la antropología económica, que no debía seguir limitándose a suministrar datos exóticos para que la economía ilustrara sus teorías universales.[68] El término "economía política" no podía adaptarse sin más al estudio de los pueblos indígenas americanos puesto que los mismos carecen de organización estatal; sin embargo, Schmidt juzgaba conveniente mantener el término "economía" en su acepción común, como la administración de los medios de producción, transformación, intercambio y transporte de los bienes necesarios para la satisfacción de las necesidades humanas.[69] Si bien criticaba los métodos conjeturales, no lograba escapar del todo al hechizo evolutivo de la época y terminaba proponiendo una sucesión de etapas de desarrollo económico de la humanidad: "período sin intercambio económico", "período de intercambio económico externo", "período de intercambio económico interno", etc. Esta evolución se explicaba por la tendencia progresiva a socializar el trabajo, fruto de la existencia de un "principio económico" que consistía en el afán de lograr el máximo resultado económico posible con el mínimo gasto de energía.[70] Partiendo del "contraste que aparece casi en todos lados, en forma más o menos pronunciada, entre aquellos que tienen y aquellos que no, entre la

clase dominante y la clase dependiente",[71] en este punto parece haber pensado el problema de la cultura -al menos de modo programático- en términos marxistas: su economía política etnológica no acepta que las obras del espíritu humano se originen en fines místicos; por el contrario, el espíritu emprendedor del hombre tiene causas eminentemente pragmáticas y sus "proyecciones" ideológicas, mentales y religiosas son fenómenos secundarios.[72]

La primacía de lo material es particularmente evidente en dos casos. El primero es el canibalismo. A pesar de discriminar tipos de canibalismo (endo- o exo-canibalismo), variedades regionales (grupos pano como los mayoruna o cashibo, los grupos del Vaupés) e incluso de detectar exageraciones en las fuentes, Schmidt propone una explicación bastante rudimentaria del fenómeno: "Aun si la práctica se debía frecuentemente a la idea de que la bravura o las buenas cualidades del enemigo muerto se transferían al hombre que comiese una parte de su cuerpo, no puede caber ninguna duda de que la causa principal no era otra que el afán de carne humana como tal".[73] En una palabra, el canibalismo se explica como una forma alimenticia primitiva más que como una costumbre con sentido simbólico o sacrificial.

El segundo caso, el del grafismo, es igualmente llamativo. Steinen había realizado un notable trabajo comparativo sobre los diseños ornamentales recogidos en el alto Xingu, en el cual la repetición de patrones gráficos sugería una codificación figurativa de objetos naturales. Schmidt iba a relativizar esta idea en su estudio sobre las técnicas de trenzado: sería la propia técnica, y no plantas o animales esquemáticos, lo que figuraban los ornamentos xinguanos.[74] En efecto, al analizar conjuntamente las técnicas de cestería, hilado y grabado documentadas por Steinen y Koch-Grünberg, postulaba que motivos gráficos como el zigzag, el rombo o el escalonamiento se deben fundamentalmente a los condicionamientos técnicos, que luego, en una segunda instancia, impactan en la vida mental de la gente: "Los patrones geométricos de algunas formas de cestería

66. Schmidt 1926: 38, cf. Schmidt 1924.

67. Schmidt 1920, 1921; 1926: 27-28.

68. Sin dudas debido a ello, algunos autores ven en Schmidt a uno de los fundadores de la moderna antropología económica (Schweitzer 2004: 73).

69. Schmidt 1926: 102, 174.

70. Schmidt 1926: 187-188. Como vemos, en estos temas Schmidt tampoco estaba libre de ciertos prejuicios sobre el *homo economicus* naturalizados por la teoría económica clásica: "Como resultado natural, el hombre busca reducir al mínimo la desagradable actividad 'económica'; por lo tanto, así, en sus actividades económicas procura conseguir el máximo resultado económico posible de los materiales que tiene a mano con el mínimo trabajo posible. Sus actividades económicas están determinadas así por este propósito. Esto es lo que llamamos 'principio económico', o 'principio del mínimo medio'". De esta forma, la producción era "comunitaria" cuando el proceso estaba determinado por la satisfacción de las necesidades de la colectividad, y "económica" en sentido estricto sólo cuando estaba basada en la mutua rivalidad o competición entre individuos libres para disponer de su propio trabajo y eventualmente del de los demás (Schmidt 1926: 58, 176-177).

71. Schmidt 1926: 55.

72. Susnik observa que "Schmidt no acepta la opinión de que las obras del espíritu humano emprendedor fueran consignadas principalmente a los fines religiosos y místicos; cree que el espíritu emprendedor tiende a manifestarse más bien en los fines prácticos, éstos basados en las razones económicas; él buscaba al indígena -y al hombre en general- en su vida diaria" (Susnik 1991: 25). No extraña, entonces, que en *Völkerkunde* las páginas dedicadas a la economía productiva y sus ramificaciones sean mucho más numerosas y detalladas que aquellas dedicadas a fenómenos "superestructurales" como la religión o la cosmología. Respecto de este énfasis, puede recordarse que Heinrich Cunow -antropólogo evolucionista de clara influencia marxista- fue el director del Museo en aquellos años, y que sus escritos trataban por lo general cuestiones de antropología económica.

73. Schmidt 1926: 63-64.

74. Schmidt 1942b, cf. Schaden 1955: 1161-1162.

published in 1924 in which he paid tribute to the inductive empiricism of Bastian and took issue with the deductive hypotheses of the diffusionists: "It is even believed that concordances between the civilizations of the New and Old Worlds are attributable, in the majority of cases, to loans from the Old World. This gives rise to the most nebulous conclusions regarding migrations from the Old World."[66]

There was nothing eccentric about Schmidt's interest in economic questions. It was the concern of a number of early twentieth-century German ethnologists, such as Ernst Grosse, Karl Bücher, Eduard Hahn, and Julius Lips. Between the years 1920 and 1921, he published the two substantial volumes of his *Grundriss der ethnologischen Volkswirtschaftslehre* (Outline of an ethnological political economy).[67] Having observed that museum collections gave disproportionate coverage to ceremonial, ritual, and ornamental objects, as opposed to artefacts of daily usage, he undertook to furnish economic anthropology with a clearly defined aim and methodology. It should no longer continue to be a source of exotic data that served only to validate universal economic theories.[68] Schmidt was sceptical about the applicability of the concept of "political economy" in relation to Amerindian peoples, owing to the fact that they lack state organization. Nevertheless, he accepted the term "economy" in a general sense, as referring to the administration of the means of production, transformation, transport, and exchange of the goods necessary for the satisfaction of human needs.[69] It can even be said that, while critical of methodologies based on conjecture, he did not entirely escape the evolutionary spell of the period. Thus, he ended up proposing a succession of stages in the economic development of humankind: a "period without economic exchange", a "period of external economic exchange", a "period of internal economic exchange", etc. He explained the evolution in terms of a progressive tendency to socialize work, a tendency due to the "economic principle" according to which it is sought to achieve the maximum possible economic result with the minimum

expense of energy.[70] Insofar as other cultural manifestations are concerned, Schmidt took as his starting point "the contrast that appears almost everywhere, to a greater or lesser extent, between the haves and the have-nots, or the dominant and the dependent classes".[71] Following on from there, his ethnological political economy, like Marxist philosophy, resisted the idea that the works of the human spirit have mystical origins or ends. On the contrary, the causes of human enterprise are eminently pragmatic, and mental, ideological, and religious "projections" are secondary phenomena.[72]

Schmidt's materialism is illustrated by his treatment of two very different anthropological *topoi*: cannibalism and ornamental designs. With regard to the former, despite his dividing the subject by type (endo- vs. exo-cannibalism) and by regional variation (Pano groups, such as the Mayoruna and the Cashibo, vs. Vaupés River groups)—as well as detecting exaggerations in the sources—his explanation of the phenomenon was rudimentary: "Even if the practice was frequently attributed to the idea that the dead adversary's fierceness or better qualities were transferred to the person who ate of his corpse, there can be no doubt that the main incentive was the consumption of human flesh, as such."[73] In short, cannibalism was a primitive alimentary practice rather than a custom endowed with sacrificial or symbolic significance.

Insofar as indigenous ornamental motifs are concerned, Schmidt's approach is equally decisive. In his important comparative study of designs collected on the upper Xingu, Steinen suggested that the repetition of patterns pointed to a figurative codification of natural phenomena. Schmidt, in his study of weaving techniques, questioned that idea, arguing that what the Xinguan motifs represented were not schematic plants or animals, but rather the very weaving technique itself.[74] Viewed as a whole, the designs documented by Steinen and Koch-Grünberg in indigenous basketry, weaving, and engraving

---

66. Schmidt 1926: 38, cf. Schmidt 1924.

67. Schmidt 1920, 1921; 1926: 27–28).

68. For that reason, no doubt, Schmidt is regarded by some authors as a founder of modern economic anthropology (Schweitzer 2004: 73).

69. Schmidt 1926: 102, 174.

70. Schmidt 1926: 187–88. As can be seen, Schmidt was not entirely free from certain preconceptions—conventionalized by classic economic theory—about *homo economicus*: "As a natural consequence, man seeks to reduce disagreeable 'economic' activity to a minimum. In his economic activities he therefore strives to achieve the maximum possible economic result with the materials he has at hand and with the least possible effort. His economic activities are conditioned by this aim. It is what we call the 'economic principle', or the 'principle of minimum means'." Likewise, Schmidt considered that production was "economic", *strictu sensu*, when (and only when) it was based on mutual rivalry and competition between individuals who are free to dispose of their own labour, if not also that of others. When it envisaged the satisfaction of the needs of the collectivity; production was "communitarian" (Schmidt 1926: 58, 176–77).

71. Schmidt 1926: 55.

72. As Susnik (1991: 25) comments: "Schmidt does not share the opinion that works of the human spirit, as manifested in human industry, answer to mystical or religious designs. He believes that manifestations of the spirit of industry are directed towards practical ends, with their basis in economic rationality. He sought the indigenous people—and man, in general—in his daily being." Not surprisingly, the productive economy and its ramifications are dealt with in *Völkerkunde* in far greater detail and at far greater length than "superstructural" phenomena such as religion and cosmology. In this regard, it should be borne in mind that the director of the Berlin Museum at the time, Heinrich Cunow, was an evolutionist anthropologist of Marxist profession whose writings mainly centred on questions of economic anthropology.

73. Schmidt 1926: 63–64.

74. Schmidt 1942b, cf. Schaden 1955: 1161–62.

-los escalonamientos, las líneas de zigzag, el rombo con un punto o una pequeña cruz o diamante en el centro- se deben enteramente al método de manufactura; son solamente un resultado de la manera en la cual se trenza".[75]

En 1918, Schmidt fue nombrado director de la sección latinoamericana del Museo de Etnología y poco después profesor de Etnología en la Universidad de Berlín. Hasta 1926 siguió dedicándose a investigaciones de corte más teórico y comparativo, interesándose particularmente por problemas de cultura material -su material de trabajo cotidiano era, recordémoslo, las amplias colecciones del museo. Sin embargo, acaso cediendo a la nostalgia de la soledad en la selva, constantemente se retiraba a casas campestres para trabajar tranquilo.[76]

2.c. Último viaje al Mato Grosso

El último gran viaje de Schmidt al Mato Grosso, en 1927, no fue menos accidentado que el primero. Comenzó por una visita a los viejos amigos bacairís de Cuiabá y Paranatinga, en la cual descubrió que muchos habían muerto en una epidemia de gripe. Tuvo, al menos, la dicha de volver a encontrar algunos de sus viejos guías de 1901, y el hijo de uno de ellos sería su única compañía durante largos tramos de este viaje -y también en este caso describiría con orgullo esa amistad.[77]

No obstante, en esos años los bacairís ya estaban demasiado "pacificados" para su gusto. Descendió entonces el Río Paranatinga hasta el Puesto Pedro Dantas, con la intención de estudiar a los kaiabis. De hecho no había abandonado sus viejos anhelos etnográficos: para empezar, mantenía el proyecto de realizar trabajo de campo intensivo, y al parecer planeaba permanecer un año y medio con estos indígenas; por otro lado, tampoco había mermado el carácter inaccesible, indómito, reacio al contacto del grupo que anhelaba investigar.[78] En efecto, mientras los bacairís occidentales se convertían en aliados de la penetración brasileña en la selva,

algunos de sus enemigos tradicionales -y los kaiabis en particular- devenían sus principales obstáculos. Las pocas informaciones sobre ellos lo confirmaban: en 1901 una expedición cauchera los encontró, esquivos, pintados de urucú, entre los ríos Branco y Paranatinga; en 1915, otra expedición los contactó en la desembocadura del Río Verde, y si bien en un principio se entablaron relaciones amistosas, pronto una fallida distribución de regalos desencadenó un ataque nocturno y forzó la desbandada general. No es difícil comprender, por otro lado, el interés de Schmidt por este grupo de habla tupí, extremadamente belicoso y a menudo acusado de practicar la antropofagia: en cierto modo eran una última manifestación de los antiguos tupinambás que -a partir de los relatos de sus coterráneos Staden y Schmidel- alimentaron el imaginario etnológico sudamericano durante siglos. No puede extrañarnos, entonces, que conocer a los kaiabis fuera su "deseo de muchos años". Cuando finalmente lo hizo, la situación había cambiado muy poco: los kaiabis soportaban a duras penas las incursiones caucheras y la instalación del puesto Pedro Dantas en su territorio -el cual, sin embargo, había sido destruido tres años antes por un asalto indígena, y desde entonces había sufrido algunos ataques, y cuya guarnición sería degollada poco después de la partida de Schmidt. A lo largo de algunas semanas pudo estudiar, pues, a los sucesivos kaiabis que llegaban hasta el puesto en busca de alimentos y herramientas de metal; sin embargo, el paludismo y la insalvable reticencia indígena -que en algún caso derivó en furtivos intentos de asesinato- limitaron enormemente el estudio lingüístico y la colección de objetos.

El nuevo ataque de malaria forzó a Schmidt a retroceder hasta Cuiabá. Una vez repuesto, ya en 1928, realizó una larga travesía hacia el noroeste para visitar a los paresís del Río Utiariti. También en este caso muchos de los paresí-kozarinis que conoció en 1910 habían muerto durante la epidemia de gripe que había arrasado la selva. Además, el Servicio de Protección de Indios y la Comisión de Líneas

75. Schmidt 1926: 195. En su análisis del grafismo xinguano, agrega: "Hasta relativamente poco tiempo atrás la mayoría de los etnólogos creían que los patrones geométricos eran dibujos figurativos decorados y retocados, que los rombos representaban peces (peces *mereschu* en el alto Xingu), y que los triángulos representaban murciélagos pendientes, o bien los pequeños triángulos de fibra usados por las mujeres (llamados *uluri*) del alto Xingu. Para apoyar esta idea se desplegaban series que pretendían demostrar el orden de desarrollo, y se creía encontrar una corroboración adicional en los nombres dados por los nativos a la ornamentación geométrica. Ya hemos visto que no pueden deducirse semejantes inferencias de series tan arbitrariamente seleccionadas; y el hecho de que las formas más comunes de los patrones geométricos en cuestión se encuentran distribuidas en casi todo el mundo prueba que los nombres nativos nada tienen que ver con el origen de las mismas" (Schmidt 1926: 196). Fuera de la hipótesis de que estas representaciones no son signo de un sentido artístico *naïve* sino una suerte de proto-escritura pictográfica (Schmidt 1926: 155), resulta llamativo

que aquí se desmerezcan las interpretaciones nativas en detrimento de argumentos comparativos formales y abstractos como los difusionistas, que tanto había fustigado.

76. Susnik 1984: 180.

77. El muchacho bacairí -anotó más de una vez- le dijo: "Mi padre, antes, quedaba siempre junto con Ud. en tu viaje y, así, yo ahora quedo también contigo" (Schmidt 1942c: 9).

78. Rivet 1927. Los kayabi son un grupo de la familia tupí; su verdadero nombre no obstante es "parúa", pues "kayabi" era el nombre que les daban los mundurucú.

were essentially conditioned by technical constraints: "The geometric patterns found in certain forms of basketry—the flight of steps, the zigzag, the rhombus with a point or cross or diamond in the centre—all derive from the method whereby they are made; they are entirely the result of the manner in which they are crafted." The impact that those geometric patterns have on the thoughts of the people who produce them is a secondary elaboration.[75]

In 1918, Schmidt was made head of the Latin American section of the Ethnology Museum and soon after was appointed professor of ethnology at the University of Berlin. Until 1926, his research remained comparative and theoretical in scope, with issues related to material culture as its main focus—necessarily so, since his everyday research materials consisted of the museum's ample collections. Nonetheless, he regularly withdrew to the countryside in order to work, nostalgic perhaps for the solitude of the forest.[76]

2.c. The last Mato Grosso fieldtrip

Schmidt's last large-scale fieldtrip to the Mato Grosso, in 1927, was no less trouble-free than the first. He began by visiting his old Bacairí friends in Cuiabá and Paranatinga, only to discover that many had died in a flu epidemic. He did, though, have the pleasure of meeting up with some of his guides from 1901, and the son of one of them was to be Schmidt's only company during long stretches of this later journey. As on the previous occasion, Schmidt in his account of the expedition paid tribute to the friendship they established.[77]

By that time, the Bacairí were already too "pacified" for Schmidt's liking. Reviving a "desire of many years" to become acquainted with the Kaiabi, he therefore descended the Paranatinga to an outpost known as Puesto Pedro Dantas. His former ethnographic aspirations were undiminished, as he seems to have been planning to spend a year and a half carrying out intensive fieldwork with the study group. The Kaiabi, for their part, had the attributes of the people he had always sought to study: they were inaccessible, culturally intact, and averse to contact.[78] Indeed, while the western Bacairí were aiding Brazilian penetration of the forest, certain of their traditional adversaries—the Kaiabi, in particular—were its main obstacle. From the scant information available, a consistent picture emerges. Firstly, in 1901, a number of evasive Kaiabi, daubed with urucú, were sighted by rubber-tappers between the Paranatinga and Branco rivers. Fourteen years later, in 1915, Kaiabi were contacted, again by rubber-tappers, at the mouth of the Verde River. On that occasion, relations were initially friendly, but a miscarried distribution of gifts resulted in the rubber-tappers' camp being attacked and routed during the night. Another reason for Schmidt's interest in this Tupí-speaking society, renowned for their bellicosity and frequently accused of anthropophagy, may well have been the fact that they were, in a sense, the last of the ancient Tupinamba, the people who for centuries—since the accounts of Schmidt's fellow countrymen, Staden and Schmidel—had fomented ethnological fascination with South America. When Schmidt finally reached them, the situation had changed very little. The Kaiabi barely tolerated the land encroachments to which they were being exposed, both by rubber-tapping incursions and by the installation of the Pedro Dantas outpost. The garrison was attacked and destroyed by indigenous assailants three years before Schmidt's visit. It suffered further sporadic attacks and, shortly after Schmidt's departure, its personnel was slaughtered. During the few weeks of his stay, Schmidt observed a succession of Kaiabi who arrived at the outpost in search of food and metal products. His linguistic studies and museological pursuits were seriously hindered, however, by a combination of malaria and insuperable reticence on the part of the Kaiabi—a reticence which, on occasion, was accompanied by furtive cases of attempted murder.

The new bout of malaria drove Schmidt back to Cuiabá. Once fully recovered the following year (1928), he made

75. Schmidt 1926: 195. In his analysis of Xinguan graphic designs, Schmidt (1926: 196) adds: "Until relatively recently the majority of ethnologists believed that the geometric patterns were figurative images, reworked and adorned; that the rhombuses represented fishes (*mereschu* fish, on the upper Xingu); and that the triangles represented hanging bats, or the little fibre triangles (called *uluri*) used by the women of the upper Xingu. In support of this idea, a sequential series of stages was unfolded which pretended to show an order of development. Additional corroboration was believed to be found in the names given by the natives to their geometric ornamentation. As we have seen, however, no such thing can be inferred from arbitrarily selected evidence. And the fact that the most common forms of the geometric patterns in question are distributed almost throughout the world proves that native names have nothing to do with the origin of those patterns." While dismissive of the theory that the motifs are an expression of *art naïf*, Schmidt was less averse to the hypothesis that they are a

form of pictographic proto-literacy (1926: 155). But his recourse to abstract, formal, comparative arguments, to the detriment of native interpretations, is all the more striking, coming as it does from someone so critical of the diffusionists for their use of the same style of argument.

76. Susnik 1984: 180.

77. On more than one occasion, Schmidt consigned to his diary the young Bacairí's words to the effect that: "Before, my father always stayed with you on your journey. So now I too stay with you" (1942c: 9).

78. Rivet 1927. The Kaiabi belong to the Tupí language family and identify themselves as Parúa. The name "Kaiabi" was given to them by the Mundurucú.

Telegráficas habían concentrado a los paresís en pocas aldeas; una de ellas, visitada por Schmidt, era la estación telegráfica de Utiariti, donde trabajaban en el tendido y mantenimiento de las líneas telegráficas –e incluso, a veces, como telegrafistas. Desde allí emprendió una breve excursión hacia el norte, en busca de los casi desconocidos iranches, pero no consiguió dar con ellos. Sin embargo, poco tiempo después tres hombres de ese grupo llegaron de visita a la estación telegráfica. Su breve entrevista con Schmidt no resultaría demasiado provechosa, puesto que los iranches llevaban consigo muy pocos objetos y no se mostraban muy predispuestos para la encuesta lingüística:

> De ninguna manera se podía moverlos a acusarme un vocablo en su lengua. Evitaban también, en mi presencia, cualquier conversación en su lengua y se quedaban también completamente mudos cuando dormían a la noche en el mismo cuarto conmigo. Solamente una vez, cuando los dos hombres más viejos quisieron salir del cuarto para hacer sus necesidades, el cacique después de haberme despertado me dijo la palabra 'kaukuri' (cagar) con un gesto significativo bastante claro para poder entender bien el sentido de este vocablo.[79]

No sorprende, pues, que el exasperado Schmidt pronto emprendiera el camino hacia el sur, hasta una aldea situada río arriba del puesto brasileño Humaitá, sobre el alto Paraguay, en pleno territorio de los umotinas. El Servicio de Protección de Indios había construido ese puesto para albergar a unos niños huérfanos luego de una epidemia de gripe, y éstos conformarían un grupo de umotinas "civilizados". Durante quince días Schmidt tuvo la dichosa oportunidad de convivir con algunos de ellos:

> Morando en el mismo gran rancho en que vivía una gran parte de los mozos Umotinas del Posto tenía buena ocasión de conocer a todos individualmente, lo

que según mi opinión es la condición esencial de hacer estudios etnológicos exactos. Por allí podía estudiar y apuntar la lengua de estos indios, los que aunque algunos sabían la lengua portuguesa hablaban entre sí mismos exclusivamente en su lengua primordial. Para divertirlos yo demostrábales los libros de estampas que siempre llevaba en mis viajes o algunas fotografías de otros indios hechas por mí en mis viajes anteriores. Mi violín, también un viejo acompañante en todos mis viajes, por desgracia, estaba desencolado, pero los indios estaban muy entusiasmados en oírle.[80]

En compañía de estos amables anfitriones emprendió el viaje hacia el interior, en busca de los umotinas de la aldea Masepo. Al cabo de algunos infructuosos días de remo, en los que nadie respondía el llamado de las trompas, hallaron un campamento donde los umotinas de la aldea Chikipo los recibieron gritando, con armas y pinturas de guerra. Una vez más Schmidt debió recurrir a sus viejas estratagemas diplomáticas: hizo sonar su violín, y en lugar de los viejos grabados de Steinen enseñó a los indígenas las fotografías de sus propios viajes; muy pronto –luego de algunas ofrendas de pescado– eran ellos mismos quienes posaban ante la máquina fotográfica. Sin embargo, al día siguiente la visita de un umotina "montaraz", proveniente de Masepo, provocó una confusa situación: durante horas el visitante se parapetó detrás de un árbol con el arco tendido, mientras los umotinas del lugar se formaban "en posición de combate", lo amenazaban con gritos y apuntaban sus flechas alternativamente hacia él y hacia los compañeros de Schmidt. Finalmente aceptaron retirarse, y el hombre de Masepo salió de su refugio y se ofreció a guiarlos hasta su aldea. La razón de esta hostilidad mutua era la enemistad entre los jefes de ambos grupos, hermanos entre sí; los primeros vieron los objetos que Schmidt traía para intercambiar con los umotinas de Masepo y quisieron evitar ese comercio. Así, tras una delicada conferencia con el jefe –en la que una vez más se blandieron flechas y violín– Schmidt

---

79. Schmidt 1942d: 38.

80. Schmidt 1941: 3.

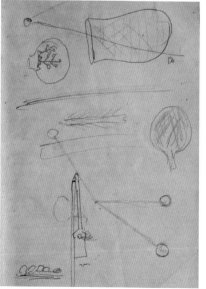

fig. 13

fig. 13   Libreta de campo de Max Schmidt
Max Schmidt's fieldwork notebook

the long crossing to the River Utiariti, to the northwest, in order to revisit the Paresí. There too the flu epidemic that had swept through the forest had taken the lives of many of his former Kozarini-Paresí acquaintances. Survivors had been concentrated in a few villages by the Indian Protection Service, in collusion with the National Telegraphy Commissions. The residents in one such village—attached to the Utiariti telegraph station, which Schmidt visited—worked on the laying and maintenance of the telegraph lines, and sometimes also as operators. From there he briefly travelled north, in search of the largely unknown Iranche. He did not succeed in locating them but, shortly afterwards, three Iranche men arrived at the station. Schmidt held an interview with them, but it was of little or no consequence. Not only were the Iranche travelling light, and, therefore, carried very few appurtenances, but they were indisposed to Schmidt's linguistic enquiries:

> Under no circumstances could they be brought to voice a single word in their language. They even avoided talking among themselves in my presence and, in the room where we all slept at night, they did not utter a sound. Only on one occasion, when the two eldest men left the room to relieve themselves, the headman woke me and said the word *kaukuri* (defecate), with a gesture sufficiently explicit for me to be able to grasp the meaning of the term.[79]

Not surprisingly, an exasperated Schmidt was soon again on the move. He headed south, to an Umotina village situated upriver of Humaitá, a Brazilian outpost established on the upper Paraguay. The Indian Protection Service had created the post in order to shelter young Umotina, orphaned by the flu epidemic, who would in theory develop into "civilized" Umotina. Schmidt had the fortunate opportunity to spend fifteen days living in their midst:

> Residing in the same longhouse in which lived a large

number of the Umotina youths attached to the Post gave me a good opportunity to get to know them all individually. In my opinion, this is an essential condition for doing precise ethnological research. It enabled me to study and note down the language of these Indians, which they invariably spoke among themselves even though some of them could speak Portuguese. To amuse them, I showed them the books of prints that I always took with me on my journeys, or photographs of other Indians taken by me on previous fieldtrips. Unfortunately, my violin, another infallible travel companion, was falling apart, but the Indians were very keen to hear it.[80]

In the company of his affable indigenous hosts, Schmidt set out in search of the remote Umotina village of Masepo. They paddled for a number of days, but their horn-blows met with no response. When, at last, they came upon a settlement, where the Chikipo Umotina were armed, war-painted, and vociferous, Schmidt had once again to resort to diplomacy. He played the violin and showed photographs from his previous fieldtrips. The Umotina responded by offering the strangers fish and even posing for photographs. The following day, however, the arrival from Masepo of an Umotina from a forest tribe led to a baffling situation. For hours the man took shelter behind a tree, with his bow drawn. The resident Umotina took up "combat position" and shouted threats at him, at the same time aiming their arrows this way and that—now at the visitor, now at Schmidt's company. The resident Umotina finally withdrew and the man came out into the open, offering to take Schmidt to Masepo. The standoff was due to enmity between the two village headmen, related as brothers. Seeing the goods that Schmidt was taking to exchange with the Masepo Umotina, the first group was determined to forestall the dealings. A difficult discussion with their headman ensued, in the course of which there was further brandishing of weapons and the violin. On reaching Masepo, Schmidt was

---

79. Schmidt 1942d: 38.

80. Schmidt 1941: 3.

fig. 14

fue bien recibido en Masepo, consiguió observar durante algunos días la vida indígena –incluyendo el uso ritual de trompas para alejar las tormentas–, y reunir mediante pacientes trueques una apreciable colección de objetos. Se instaló en casa del viejo Kaimanepa, cultivó la amistad de su sobrino Kodonepa, y registró en su diario, con meticuloso buen humor, los eventos de la convivencia:

> Antes de clarear el día soy despertado en forma poco apacible por el viejo Kaimanepa que se acercó a mí gesticulando y hablando agitadamente en lengua Umotina. Pregunté a mi intérprete Nanepa qué quisiese nuestro viejo amigo a esta hora, y me dijo que él quiso nada más que preparáramos un plato de poroto para él. Costome algún trabajo el persuadirle que ahora no fuese propio el tiempo para cocer o comer porotos, pero al fin se tranquilizó y pude dormir otra vez.[81]

Desde Masepo Schmidt regresó a Cuiabá, aunque sus nuevos amigos se negaron a acompañarlo explicando que no les gustaba "mirar la cara de los blancos".[82] Por aquellos años los umotinas tenían muy buenas razones para mostrarse reacios al contacto: poco tiempo antes los caucheros solían asesinarlos cuando los encontraban en la selva. En esos tiempos de conflictos, el viejo Kaimanepa había ganado una legendaria reputación como guerrero, "habiendo vengado muchas fechorías de los blancos que entraban en su territorio".[83] Este viaje, entonces, fue la primera exploración científica en estas tierras. Hasta entonces no existían datos precisos sobre los umotinas: se los conocía simplemente como "barbados", se esgrimían improbables conjeturas sobre su número y ubicación, y se los consideraba vagamente como una parcialidad bororó o guató, algo que Schmidt logró desmentir.

Durante el camino de regreso hacia Corumbá, se demoró en la región del alto Paraguay para estudiar las pinturas rupestres del Morro do Triumpho. En las tres grandes expediciones que lo llevaron al Mato Grosso, Schmidt había realizado diversas excavaciones arqueológicas, y durante las dos décadas que transcurrió en Asunción iba a realizar otras tantas. Era una tarea casi inevitable en el marco de una exploración etnológica, y una de las mayores obligaciones de un investigador de museo. Como hemos podido ver, en esa época las expediciones se orientaban ante todo a la obtención de piezas para exhibir; de ahí el criterio a menudo estético que regía la recolección. Se privilegiaban las piezas mejor conservadas, las más enteras, las más grandes –y las piezas coloniales presentes en los yacimientos a menudo eran consideradas como obstáculos en la excavación, elementos disruptivos y deplorados. Las piezas eran desenterradas sin ningún estudio sistemático del sitio (los pedazos rotos eran pegados con pegamento), y luego eran comparadas con otras conocidas; no existían demasiadas pruebas científicas ni del sitio, ni del contexto ni de los objetos, y por lo tanto el análisis se basaba en deducciones inevitablemente azarosas.

Guiada por un viejo baqueano –un "cazador de tigres" de 73 años–, la compañía formada por tres hombres armados y algunos perros de caza, con provisiones para pocos días, partió en canoa desde Amolar, remontando el pantanoso delta del alto Paraguay. Cuando se acercaban a destino, al cabo de una jornada de remo, las plantas que la corriente había acumulado y una súbita bajada del río bloquearon cualquier avance o retroceso. Tras horas de lucha, a la medianoche debieron resignarse a esperar la mañana en el pantano plagado de pirañas; tan sólo al atardecer del día siguiente consiguieron desembarcar en el Morro do Triumpho, donde los sacrificios, la nube de mosquitos y el peligro fatal de quedar atrapados en el pantano durante meses por la bajante de las aguas no consiguieron opacar el entusiasmo de Schmidt por esos mismos grabados rupestres que hoy adornan su lápida, y que eran "lo más interesantes que yo había visto en todos mis viajes".[84] El regreso a Alemania, en 1928, cerraría su última expedición científica para el Museo de Berlín.

---

81. Schmidt 1941: 8.

82. Schmidt 1941: 9.

83. Schmidt 1941: 12. Fue el célebre coronel Rondón, en sus exploraciones para el tendido telegráfico, quien tejió las primeras alianzas con este grupo en 1918.

84. Schmidt 1940b: 69.

fig. 15

fig. 15 Cajas de negativos en placas de vidrio de Max Schmidt
Boxes of Max Schmidt's glass-plate negatives

well received and, during the few days he spent there, he managed to observe village life—including the ritual use of horns to ward off storms. Through patient bartering, he also assembled a sizeable collection of artefacts. He stayed in the house of Kaimanepa, an elder whose nephew, Kodonepa, Schmidt befriended. The circumstances of his co-residence are recorded in his diary with patient good humour:

> Before daybreak, I am rudely awoken by Kaimanepa, who approached, gesticulating and speaking agitatedly in his language. I enquired of my interpreter, Nanepa, what our veteran friend wanted at that hour, and his reply was that he required us to prepare him a plate of cooked beans. It was not easy to persuade the old man that the time was not right for cooking and consuming beans, but he finally calmed himself, and I was able to resume my slumbers.[81]

From Masepo, Schmidt returned to Cuiabá, but his new-found Umotina friends would not accompany him. As they explained, they did not like to "look at the faces of the whites".[82] They had good reason to avoid contact, because rubber-tappers were in the habit of killing them if they came upon them in the forest. Old Kaimanepa himself was a renowned warrior, on account of his having "avenged numerous abuses on the part of non-indigenous intruders on their lands".[83] Schmidt's was the first scientific exploration to the Umotina people, known only, until then, for being "bearded". Wild conjectures were made about their number and location, and it was supposed that they were a Bororo or Guató sub-group—a supposition that Schmidt conclusively disproved.

On the leg to Corumbá, he broke his homeward journey on the upper-middle reaches of the Paraguay River in order to study the rock-carvings at Morro do Triumpho. Schmidt embarked on archaeological excavations in the course of all his three main expeditions to the Mato Grosso and would continue to do so during the two decades he was to spend in Asunción. At the time, excavations were virtually a prerequisite of ethnological research, and even more so for museum studies. As we have seen, expeditions were principally oriented towards the acquisition of pieces destined for exhibition, which meant that the selection of collectable items was often subject to aesthetic criteria. Preference was given to the largest objects and to those that were best preserved and most complete. If a site had remains dating from the colonial period, they were usually discarded as hindrances to the dig. Pieces considered valuable were unearthed without a systematic study of the site itself; broken parts were reassembled with adhesive; and the finished product was compared with others of a similar description. Scientific rigour was largely absent as regards the study of the site, the context and the objects themselves, with the result that analysis was based on necessarily hazardous inferences.

Schmidt's party comprised three armed men, hunting dogs and a few days' provisions. Guided by an ageing local, a seventy-three-year-old "jaguar-hunter", they set out in dugouts from Amolar and headed for the marshy delta for which they were bound. As they approached their destination, after a day's paddling, they found themselves trapped in a morass of drifting vegetation driven by the current and compacted by a sudden drop in the water level. They could neither advance nor retrace their course. They struggled for hours until, at midnight, they resigned themselves to remaining in the piranha-infested marsh until the morning. The following day, in the afternoon, they finally disembarked in Morro do Triumpho. There, despite the hardships, the swarms of mosquitos and the deadly risk of being marooned in the swamp for months by a further drop in the water level, Schmidt's enthusiasm for the rock-carvings was unabated. Described by him as "more interesting than anything I had seen on my travels",[84] it is those same carvings that adorn his gravestone. Schmidt's return to Germany, in 1928, brought to a close his last scientific expedition for the Berlin Museum.

---

81. Schmidt 1941: 8.

82. Schmidt 1941: 9.

83. Schmidt 1941: 12. The first alliances with the Umotina had been concerted by the renowned Colonel Rondón, in 1918, over the course of his explorations in connection with the laying of telegraph wires in the region.

84. Schmidt 1940b: 69.

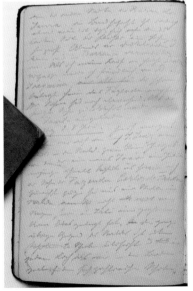

fig. 16

fig. 16   Libreta de campo de Max Schmidt
Max Schmidt's fieldwork notebook

3. Los últimos años: Asunción y el Chaco

Poco tiempo después de regresar a Europa, Schmidt se jubilaría, renunciaría a sus cargos académicos y en 1929 atravesaría nuevamente el Atlántico para establecerse en Brasil, en las cercanías de Cuiabá, corazón del Mato Grosso y punto de partida de casi todas sus incursiones previas. Con los escasos datos disponibles no es prudente afirmar cuáles fueron las razones de esta decisión, que a la distancia bien puede parecer algo abrupta. Pero, sin arriesgar demasiado, podemos reconocer entre ellas el viejo deseo de vivir en la selva, en compañía de los indígenas, que las accidentadas expediciones jamás consiguieron realizar, y que tal vez decidió perseguir por medios más drásticos. Tal es, en efecto, la explicación ofrecida por su amigo Herbert Baldus, para quien Schmidt "quería pasar el resto de su vida en Mato Grosso, cerca de los selváticos que tanto amaba desde joven", y también la seguida por Susnik, quien entreveía un "anhelo personal" de "vivir en la sencilla naturaleza y con la máxima modestia personal".[85] Sin embargo, también podemos imaginar otras razones para este exilio, no menos probables y mucho menos felices: el convulsionado escenario político que Alemania atravesó durante todo el período de entreguerras –la República de Weimar–, duramente golpeada por la crisis económica mundial ese mismo año, y en particular el inexorable ascenso político y la difusión ideológica del nacional-socialismo. De hecho, algunos historiadores de la antropología alemana afirman sin ambages que ésa fue la principal razón de Schmidt para solicitar su jubilación antes del viaje de 1926-1928 y partir luego hacia el Brasil.[86] Hay que señalar, al respecto, que poco tiempo después de su partida –con las primeras victorias del nazismo en la arena política– las instituciones donde Schmidt trabajaba fueron alteradas drásticamente. Muy pronto todas las ramas de la antropología, particularmente en Berlín, serían invadidas por una agenda teórica políticamente impuesta y por una asfixiante atmósfera de persecución y delación: así, desde 1935 sólo los investigadores de "raza aria"

podían ingresar en la Sociedad Berlinesa de Antropología, Etnografía y Prehistoria, y en 1938 fueron expulsados los restantes miembros judíos. La antropología física, que proveía el principal sostén "científico" a las persecuciones étnicas llevadas a cabo por el partido nazi, pasó a ser dominada por la figura de Eugen Fischer, racista declarado y nazi acérrimo. En la etnología –disciplina tal vez menos importante para el Tercer Reich– el nuevo régimen político propiciaría el ascenso de figuras como Fritz Krause –director del Museo Etnográfico de Leipzig– quien ya en 1933 proponía a la etnología como una herramienta para "evacuar" las "influencias culturales alógenas" de Alemania, o Hermann Baumann, nazi de la primera hora que ocuparía el lugar dejado por Wilhelm Schmidt y Koppers en Viena; en suma, en buena medida la vieja etnología pasaría a ser una de las "ciencias coloniales" y sería puesta en manos de "raciólogos" al servicio de teorías racistas.[87] Es posible que Schmidt entreviera estas tendencias que alejaban a la etnología alemana de los queridos ideales de Bastian o Steinen, y que haya encontrado en ellas motivos suficientes para abandonar su carrera académica y buscar refugio en la selva. En todo caso, es seguro que el estallido de la guerra en Europa y la consiguiente pérdida de su jubilación alemana volvieron definitiva su permanencia en Sudamérica.

Nuestro conocimiento sobre el tiempo que pasó en Cuiabá, y los motivos que tuvo para abandonar ese lugar y establecerse finalmente en Asunción, no son mucho más precisos. En particular, no podríamos confirmar si –tal como afirma Baldus– su intención original era establecerse definitivamente en el Mato Grosso y ciertas "desavenencias" forzaron su traslado a Asunción.[88] Sí sabemos, gracias a su autobiografía, que antes de instalarse en Cuiabá realizó investigaciones durante unos pocos meses en los museos de Río de Janeiro y de San Pablo –lo cual indica que su migración jamás implicó un abandono de sus intereses científicos–, y que en marzo de 1931, invitado por la Sociedad Científica del Paraguay a instancias de Andrés Barbero, se trasladó a Asunción para organizar la colección

---

85. Baldus 1951: 254; Susnik 1991: 9.

86. Por ejemplo, Gingrich (2005: 98) afirma que Schmidt decidió partir "por razones profesionales tanto como políticas", y unas páginas más adelante precisa que "buscó un retiro temprano para separarse de los nazis" (Gingrich 2005: 106).

87. Sobre el ascenso y auge de las ideas racistas en la antropología física alemana, permitidas por la desaparición de Bastian y Virchow, cf. el ensayo de Massin (1996). Según Gingrich, "la vasta mayoría de la antropología sociocultural en Alemania apoyó activamente, en mayor o menor medida, el régimen nazi" (Gingrich 2005: 111). Esta taxativa afirmación es matizada, aunque también respaldada, por un minucioso estudio de Conte y Essner (1994).

88. Baldus 1951: 254.

fig. 17

fig. 17   Libretas de campo de Max Schmidt
Max Schmidt's fieldwork notebooks

3. The final years: Asunción and the Chaco

Shortly after his return to Europe, Schmidt took retirement, renounced his academic posts, and, the following year (1929), set sail once again across the Atlantic. He took up residence in Brazil, near Cuiabá—de facto capital of the Mato Grosso and the starting point of most of his earlier incursions into its forested interior. Lack of information makes it difficult to pin down the reason, or reasons, for that apparently abrupt decision on Schmidt's part. But it can safely be supposed that he still harboured the desire to live in the forest with the indigenous people, a desire never fully satisfied by his previous abortive attempts and which he now sought to fulfil by more drastic means. Such is the explanation given by his friend Herbert Baldus, for whom Schmidt "wanted to spend the rest of his life in the Mato Grosso, near the forest people whom he had so loved since his younger days". The same view is adopted by Susnik, who perceived a "personal desire" on Schmidt's part to "live in the midst of simple nature under the most modest possible conditions".[85] There are, however, other reasons—equally plausible, though less palatable—that can be adduced to explain the exile. The interwar period of the Weimar Republic was a time of political convulsion in Germany. In particular, the country was severely affected by the international economic depression of 1929—the year of Schmidt's departure. Furthermore, the National Socialist party was gaining ground as regards both the diffusion of its ideology and its political influence. Certain historians of German anthropology assert unequivocally that this was not only the main reason for Schmidt's departure for Brazil in 1929, but also the motive behind his having applied for a pension even before his 1926 fieldtrip.[86] It bears mentioning that, shortly after his departure, Nazism was to win its first victories in the political arena, and the institutions for which Schmidt had worked were to undergo radical transformations. All branches of anthropology—the Berlin branch, in particular—would very soon be subjected to

a politically imposed theoretical agenda, in a pernicious ambience of persecution and clandestine incrimination. After 1935, only "Aryan race" researchers could enter the Berlin Society of Anthropology, Ethnography, and Prehistory. Its remaining Jewish members were expelled in 1938. Physical anthropology, which gave "scientific" support to the ethnic cleansing perpetrated by the Nazi party, came to be dominated by Eugen Fischer, a staunch Nazi and declared racist. Ethnology was perhaps less important as a discipline to the Third Reich, but the new political regime propitiated the ascent of figures such as Fritz Krause and Hermann Baumann. Krause, who became director of the Leipzig Ethnology Museum, was already in 1933 promoting ethnology as a tool with which to "vacate" Germany of "exogenous cultural influences". Baumann, a founding member of the Nazi party, was to replace Wilhelm Schmidt and Koppers in the positions they relinquished in Vienna. In short, ethnology fell into the hands of "race-ologists" who made of it the handmaiden of racist theories and, as such, one of the "colonial sciences".[87] It is possible that Schmidt was aware of those tendencies, which distanced German ethnology from the cherished ideals of Bastian and Steinen, prompting him to abandon his academic career and seek refuge in the forest. What is certain is that the outbreak of the Second World War, with the consequent loss of his German pension, caused his South American residence to become permanent.

Our knowledge of the time he spent in Cuiabá, and of his motives for finally moving to Asunción, is equally imprecise. We cannot confirm, for example, that his original intention was, as Baldus states, to establish himself definitively in the Mato Grosso and that his move to Asunción was the result of unclear "setbacks".[88] Thanks to his autobiography, we know that, before installing himself in Cuiabá, he carried out a few months' research in the museums of Río de Janeiro and San Pablo, which indicates that his leaving Germany did not imply the renunciation of his scientific interests. We also know that, in March

---

85. Baldus 1951: 254; Susnik 1991: 9.

86. Gingrich, for example, states that Schmidt decided to leave "for political as well as professional reasons [...] he sought early retirement in order to distance himself from the Nazis" (2005: 98, 106).

87. On the rise and expansion of racist concepts in German physical anthropology, following upon the disappearance of Bastian and Virchow, see Massin 1996. According to Gingrich (2005: 111), "in the vast majority of cases, sociocultural anthropology in Germany more or less actively supported the Nazi regime." His categorical assertion is attenuated—and, at the same time, reinforced—by Conte and Essner's detailed study (1994).

88. Baldus 1951: 254.

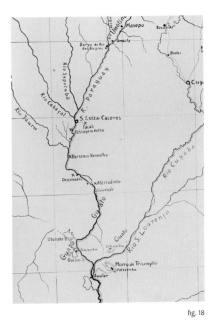

fig. 18

fig. 18   Mapa de la expedición al Mato-Grosso (1927-1928), detalle
Map of Mato Grosso expedition (1927–28), detail

arqueológica y etnográfica que albergaría el futuro Museo de Historia Natural y Etnografía. Distinguido químico, médico, político y filántropo, Barbero era por esos años una suerte de factótum de la vida científica en Paraguay: había fundado –o contribuido a fundar– la Sociedad Científica del Paraguay (1921) y el Museo de Historia Natural y Etnografía (1929), la Academia Paraguaya de la Historia (1937) y la Asociación Indigenista del Paraguay (1942).[89] Había conocido a Schmidt en 1910, en el Congreso Internacional de Americanistas de Buenos Aires, y con el tiempo se convertiría en su médico, su mecenas y su último gran amigo. Así, a poco más de dos años de haber abandonado Alemania, Schmidt se encontraba nuevamente trabajando en las colecciones de un museo en ciernes, del que iba a devenir director y al cual entregaría sus afanosas últimas décadas. Tal como ocurría en los pequeños museos de la época, prácticamente todo el trabajo quedaba a cargo del director: desde la colección de objetos arqueológicos y etnográficos en el campo hasta su presentación en las vitrinas. En este nuevo puesto, buena parte de sus primeros viajes serían dedicados a exploraciones arqueológicas en las regiones guaraníticas de Paraguay –uno de cuyos resultados sería un valioso estudio sobre las urnas funerarias guaraníes. Sin embargo, todavía habría de realizar una última y peculiar expedición etnográfica, muy diferente de sus viajes por el Mato Grosso.

3.a. En el Chaco

La sangrienta Guerra del Chaco entre Bolivia y Paraguay por la posesión del Chaco boreal se extendió entre 1932 y 1935.[90] Paraguay fue el vencedor y al final de la contienda el comando militar paraguayo y la Sociedad Científica invitaron a Schmidt a realizar una expedición etnográfica de un par de meses a los asentamientos indígenas de la región, muchos de los cuales se habían establecido a la vera de los campamentos y fortines militares. Hasta el momento había tenido tan sólo dos breves encuentros con los indígenas chaqueños: en 1901, en su camino hacia Concepción, había avistado algunos lenguas y chamacocos a orillas del Paraguay;[91] luego, en 1914, tuvo ocasión de visitar brevemente a los tobas de Cerrito y Villa Hayes.[92] En consecuencia, la invitación de las autoridades paraguayas le ofrecía la oportunidad perfecta de viajar a una región que conocía poco.

En un escenario desolador, caótico, desgarrado por la inmediatez de las hostilidades, Schmidt recorrió los precarios campamentos visitando a indígenas de muy diversos grupos étnicos: los fortines Toledo y 15 de Agosto, donde había grupos chanés e isoseños del Río Parapetí; Machareti, tradicional asentamiento chiriguano; las cercanías de Fortín Linares, donde estaban los wichís guisnais; Fortín Oruro, con un grupo de tapietes; la misión oblata de Esteros, poblada de nivaclés; los campamentos chorotes de Yacarepirí y Cururenda, donde había también pequeños grupos de tobas y wichís provenientes de la ribera argentina del Pilcomayo. El gran descubrimiento del viaje fue la fluidez interétnica de una región en la cual el mestizaje, los préstamos culturales, las redes de intercambio y el multilingüismo constituyen datos en el sentido más literal de la palabra. Pese a su brevedad, la campaña fue un éxito rotundo: consiguió reunir un millar de objetos, numerosas notas, léxicos y fotografías que alimentarían sus posteriores reflexiones sobre la etnología chaqueña.[93] Sin embargo, una vez más, los recurrentes ataques de malaria lo forzaron a regresar a Asunción.

Comparativamente, a Schmidt le interesaban los llamados wichís "guisnais" porque en ese entonces eran mucho menos conocidos que otras parcialidades wichís. Pese a que naturalmente no tuvo tiempo de observar en profundidad la vida social del grupo, su ojo etnográfico fue sensible a matices sutiles: el oscilante juego de sus alianzas (con los tobas) y enemistades (con los chorotes); la táctica toba de hacerse pasar por wichís frente a los visitantes cuando les resultaba conveniente para vender sus artesanías o solicitar dinero; o las variaciones lingüísticas entre

---

89. Soler 1977.

90. Caracterizada por la etnología clásica como un área cultural "marginal", el Gran Chaco es una planicie semiárida de alrededor de un millón de kilómetros cuadrados que se extiende a través del norte de Argentina, el este de Bolivia y el oeste de Paraguay. Actualmente hay allí unos 250.000 indígenas, clasificados por la tradición antropológica en seis grandes grupos lingüísticos: mataco-maká (wichí-mataco, chorote, nivaclé-chulupí, maká), guaycurú (toba, toba-pilagá, pilagá, mocoví, mbayá-caduveo), lule-vilela (chunupí), lengua-maskoi (lengua, sanapaná, angaité, enenlhet), zamuco (ayoreo, chamacoco-ishir) y tupí-guaraní (ava-chiriguano, chané, tapiete, isoseño y guaraní occidental).

91. "Algunos llegaban en sus botes que pegaban al casco del vapor para que les arrojásemos monedas" (Schmidt 1942b: 4).

92. Schmidt 1955.

93. Por aquel entonces uno de los mayores especialistas en el Gran Chaco, Alfred Métraux visitó estas colecciones y les dedicó una admirada reseña: "A diferencia de casi todas las colecciones etnográficas en los museos sudamericanos, las de Asunción han sido hechas de manera sistemática y minuciosa. Dan una idea bastante completa de todos los aspectos de la civilización material de estos indígenas. Desde la guerra, los indígenas del Chaco han caído en una decadencia profunda: su desaparición en tanto que naciones es cuestión de pocos años. Gracias al Museo de Asunción, las artes de estos pueblos serán conservadas para las generaciones futuras" (Métraux 1940). Un catálogo de adquisiciones del Museo publicado en 1939 consigna las fotografías chaqueñas obtenidas en este viaje, algunas de las cuales son reproducidas aquí: 11 fotografías de los isoseños ("izozós") de Toledo, 17 de los wichís ("matacos") de Linares, 41 de los nivaclés ("churupí") de Esteros, 20 de los chorotes cerca de Cururenda, 1 de los tobas en Cururenda, 19 de tapietes cerca de Oruro, 11 de chiriguanos de Machareti (Schmidt 1939: 62).

1931, in response to an invitation made by the Scientific Society of Paraguay, at the behest of Andrés Barbero, he moved to Asunción in order to organize the archaeological and ethnographic collection that was to be housed in the Museum of Natural History and Ethnography. Barbero was something of a factotum of scientific life in Paraguay. A distinguished chemical scientist and doctor, as well as a philanthropist and politician, he founded, or contributed to the foundation of, the Scientific Society of Paraguay (1921), the Museum of Natural History and Ethnography (1929), the Paraguayan Academy of History (1937), and the Indigenist Association of Paraguay (1942).[89] He had met Schmidt in 1910, at the International Congress of Americanists in Buenos Aires, and over time became his friend, physician, and sponsor. So it was that, a little over two years after leaving Germany, Schmidt was again working on a museum collection—that of an infant museum of which he was to become director and to which he would commit the last, tireless decades of his life. At that time, most of the work of a small museum was the responsibility of its director, from the collection of archaeological and ethnographic materials in the field to their display in the museum cabinets. In his new role, Schmidt's fieldwork was largely devoted, at first, to archaeological exploration in the regions of Paraguay in which Guaraní culture was dominant. An important study of Guaraní burial urns was one of the fruits of that research. But it remained for him to undertake one further, final fieldtrip, very different from those to the Mato Grosso.

3.a. In the Chaco

Between 1932 and 1935, Paraguay and Bolivia fought for possession of the northern Chaco, in what is known as the Chaco War.[90] Paraguay was victor in the bloody conflict, after the end of which the Paraguayan Scientific Society, in conjunction with the country's military command, invited Schmidt to spend a couple of months making a study of the region's indigenous settlements, many of which had been located in close proximity to the military emplacements. Until then, Schmidt had had only two fleeting encounters with indigenous people of the Chaco: in 1901, on the way to Concepción, he had sighted Lengua and Chamacoco on the banks of the River Paraguay;[91] later, in 1914, he briefly visited the Toba of Cerrito and Villa Hayes.[92] The invitation he was made by the Paraguayan authorities was, therefore, a perfect opportunity for him to explore a region that, to all effects, was unknown to him.

Amidst a scene of desolation and chaos, ravaged by the recent hostilities, Schmidt travelled among the precarious indigenous settlements, making contact with various ethnic groups: Chané and Isoseño from the Parapetí River (near Forts Toledo and "15 de Agusto"); Chiriguano at Machareti (a traditional Chiriguano territory); Guisnai Wichí (near Fort Linares); Tapiete (Fort Oruro); Nivaclé (the Oblate Mission at Esteros); Chorote (Yacarepirí and Cururenda, where small groups of Toba and Wichí from the Argentine bank of the River Pilcomayo were also present). Schmidt was struck by the interethnic fluidity that characterized the region, where intermarriage, multilingualism, cultural loans, and exchange networks were typical features of social reality. Despite the brevity of his stay, it was ethnographically productive. He made copious notes, recorded several wordlists, took numerous photographs, and collected some one thousand artefacts—all of which would subsequently lay the foundations for his reflections on Chaco ethnology.[93] Recurrent attacks of malaria, however, forced him once again to return to Asunción.

Schmidt was interested in the "Guisnai" Wichí because they were far less well known than other Wichí sub-groups. Despite the limited time he was able to spend with them, his ethnographic eye was sensitive to subtle details. He observed, for example, their fluctuating relations of alliance (with the Toba) and enmity (with the Chorote), as well as the Toba practice of assuming Wichí identity in order to sell handcrafts or request money. He also noted linguistic variations among the "Guisnai" and the so-called "Vejoz"

---

89. Soler 1977.

90. The Gran Chaco is a semiarid lowland plain that covers an area of approximately one million square kilometers in northern Argentina, eastern Bolivia, and western Paraguay. Classified as a "marginal" culture area by early ethnologists, it is the homeland of some 250,000 Amerindians belonging to six language families: Mataco-Maká (Wichí-Mataco, Chorote, Nivaclé-Chulupí, Maká), Guaycurú (Toba, Toba-Pilagá, Pilagá, Mocoví, Mbayá-Caduveo), Lule-Vilela (Chunupí), Lengua-Maskoi (Lengua, Sanapaná, Angaité, Enenlhet), Zamuco (Ayoreo, Chamacoco-Ishir), and Tupí Guaraní (Ava-Chiriguano, Chané, Tapiete, Isoseño Guaraní, and western Guaraní).

91. "Some arrived in their craft, which they brought alongside the hull of the steamboat in order for us to throw them coins" (Schmidt 1942b: 4).

92. Schmidt 1955.

93. Not long after Schmidt's fieldtrip, Alfred Métraux, a leading specialist in the ethnography of the Gran Chaco, visited the museum and wrote an enthusiastic review of its collection: "In contrast to almost all the ethnographic collections in South American museums, the one in Asunción has been assembled in a careful, systematic fashion. It gives a fairly complete idea of all aspects of the material civilization of the indigenous peoples of the Chaco. Since the [Chaco] war, their cultures have collapsed, and it can only be a matter of a few years before they disappear as nations. Thanks to the Asunción Museum, their arts and crafts will be preserved for future generations" (1940: 100). A catalogue of the museum's acquisitions, published in 1939, lists its collection of the photographs that Schmidt took on the journey (some of which we here reproduce): 11 photographs of Isoseño ("Izozó") in Toledo; 17 photos of Wichí ("Mataco") in Linares; 41 photos of Nivaclé ("Churupí") in Esteros; 20 photos of Chorote near Cururenda; 1 photo of Toba in Cururenda; 19 photos of Tapiete near Oruro; 11 photos of Chiriguano in Machareti (Schmidt 1939: 62).

los dialectos "vejoces", "noctenes" y "guisnais".[94] Con su habitual ecuanimidad documentó la perfecta conciencia indígena de los intereses de la sociedad externa: así, por ejemplo, describe su negociación con el cacique Ligula para comprar algunos objetos, en la cual, tras pactar un precio conveniente y evidentemente incómodo por la posibilidad de perder el día contestando una encuesta etnográfica, el guisnai se marchó raudamente a pescar y dejó a Schmidt en compañía de un muchachito para que contestara sus preguntas y concertase los detalles prácticos de la compra.[95] La anécdota puede ser leída como una glosa irónica sobre el etnógrafo desde el punto de vista indígena; en todo caso, muestra que el principal interés de la expedición era la reunión de colecciones para el museo. A diferencia de las campañas al Mato Grosso, el escaso tiempo disponible en el terreno impedía establecer lazos profundos con los indígenas y acceder a una observación cabal de su vida social. En este sentido no sorprende un cierto contraste entre la riqueza de la descripción técnica de los objetos -por ejemplo el análisis de las formas, colores y puntos de enlace de los bolsos de caraguatá- y la relativa pobreza descriptiva del contexto etnográfico. La mayoría de las veces Schmidt resuelve esta tensión apelando a cuestionables conjeturas comparativas: así, sugiere que un tipo determinado de bolsas tejidas provendría de los makás, y que las técnicas de tejido pueden dividirse de acuerdo a su origen "primordial" (es decir, propiamente guisnai) o "externo" (es decir, importadas de otros grupos guaraní-hablantes como los isoseños, los chanés o los chiriguanos).[96]

La impresión de la importancia de los préstamos culturales se agudizó durante la visita a un grupo tapiete de las inmediaciones de Cañada Bolívar y Fortín Oruro. Schmidt buscaba constantemente objetos para las colecciones del museo, pero casi todo lo que encontraba eran trastos abandonados por las tropas durante la guerra del Chaco -sus fotos de los tapietes, algunas de las cuales reproducimos aquí, son elocuentes al respecto. Sin embargo era un observador paciente, y en el escaso tiempo que

trascurrió con los tapietes pudo advertir detalles como las técnicas de nudo y de trenzado, o las llaves pugilísticas empleadas por las mujeres, similares en su opinión a las wichís, chorotes y nivaclés. De igual forma advirtió que los tapietes fumaban tabaco como los chorotes y los nivaclés, que elaboraban una cerámica idéntica a la de los chorotes y los wichís, y que empleaban los mismos utensilios domésticos; pero, a la vez, que llevaban chiripás y *tembetas* (adorno labial) como los chiriguanos, además de hablar como ellos un dialecto guaraní. Este fluido cuadro se completó cuando supo que el cacique de la comunidad era un chiriguano casado con una mujer tapiete.[97] Como otros grandes pioneros de la etnología chaqueña, Schmidt observó en los tapietes un grupo "guaranizado", que hablaba un dialecto guaraní pero cuya cultura material reflejaba estrechas vinculaciones con indígenas chaqueños como los wichís o los chorotes.[98]

Schmidt también tuvo tiempo de visitar varios campamentos chiriguanos en Machareti y Guachalla, e incluso a dos millares de isoseños -habitantes guaraní-hablantes de la región boliviana del Río Parapetí- que habían migrado en ocasión de la guerra. Inmediatamente observó que los isoseños rechazaban ser llamados "chiriguanos". Como creía que estos indígenas eran "mestizos" y "aculturados" por su condición trashumante -o acaso más bien porque el tiempo con ellos fue demasiado breve y no dominaba la lengua-, Schmidt no alcanzó a compilar mitos, relatos y tradiciones orales, y se concentró una vez más en la descripción de la cultura material. En este caso su análisis propone una perspectiva histórica del mapa interétnico regional bastante sofisticada para la época, que tiene en cuenta las antiguas relaciones de tributo, vasallaje y dominación entre los amos chiriguanos y sus siervos yuracarés, tamacocis y chanés -así, por ejemplo, percibió determinadas influencias andinas ("peruanas") en las técnicas de trenzado chiriguano; las cuales, siguiendo a Métraux, supuso absorbidas por las mujeres en el proceso de mestizaje con los chanés pedemontanos. En efecto, siguiendo la tesis canónica de Nordenskiöld

---

94. Schmidt 1937: 2-5. En cambio, la visita a los nivaclés de las misiones oblatas del Pilcomayo medio fue bastante menos fructífera, ya que allí apenas logró recoger un vocabulario asistido por un misionero que dominaba el idioma (Schmidt 1940c: 73). Hay que decir que el problema de la reconstrucción de las culturas chaqueñas sobre la base de informaciones suministradas por unos pocos individuos no amilanaba a Schmidt: así, entre 1940 y 1941 entrevistó a la última sobreviviente payaguá, María Dominga Miranda, que residía en un barrio precario de Asunción en las proximidades del Museo Etnográfico (Schmidt 1949; Unger 1984: 229).

95. Schmidt 1937a: 1.

96. Schmidt 1937a: 4, 25, 34.

97. Schmidt 1937b: 40-53.

98. Para Schmidt los tapietes descienden de los antiguos tamacocis o zamucos, fueron subyugados por guaraníes andinizados y obligados a migrar hacia el este, donde se mezclaron con los grupos chaqueños: "Contestando esa pregunta no debemos suponer desde un principio que exista una tribu, claramente definida, que es la llamada 'Tapieté' y, agregar a esta suposición la pregunta ¿a qué grupo étnico pertenezca esta tribu? Antes tenemos que partir de la base de que en la región entre el Río Parapetí y el Río Pilcomayo existen indios que hablan un dialecto de la lengua Guaraní casi igual al dialecto de los Chiriguanos y de los Chanés-Izozós, que tienen algunos bienes de cultura iguales a aquellos de los Chiriguanos y de los Chanés, pero la mayor parte de su cultura común con las tribus circunvecinas del Chaco y que esos indios son llamados por los blancos de la región del Pilcomayo, generalmente Tapieté y en la región del Parapití 'Yanaygua o Yanagua'" (Schmidt 1937b: 53-56).

and "Nocten" dialects of the Wichí language.[94] With habitual equanimity he recorded the indigenous reaction to his ethnological interests—as, for example, in the case of Ligula, a "Guisnai" headman with whom Schmidt had dealings in connection with the purchase of certain objects. After agreeing to a suitable price, Ligula, evidently uneasy about the prospect of spending the day responding to ethnographic enquiries, left hastily in order to go fishing. For the purposes of the interview and the practicalities of the sale, Schmidt was left in the company of a small boy.[95] The anecdote can be read as an ironic comment on the role of the ethnographer, as seen from an indigenous perspective; it also shows that the expedition's main objective was the gathering of museum pieces. In contrast to his fieldtrips to the Mato Grosso, the limited time available did not allow him to form close relations with the indigenous people or make an in-depth study of their social life. Accordingly, elaborate technical description—as, for example, in the analysis of the forms, colours, and stitches employed in "Guisnai" string bags—contrasts with a relative paucity of detail in respect of the broader ethnographic context. For the most part, Schmidt sought to correct the imbalance by recourse to questionable comparative conjectures. He proposed, for example, that the weaving techniques can be distinguished according to whether they are of "primordial" or "external" origin: that is, according to whether they are authentically "Guisnai" or borrowed from Guaraní-speaking groups such as the Isoseños, the Chané, or the Chiriguano. One particular type of woven bag, he suggested, was of Maká origin.[96]

The visit to the Tapiete in the vicinity of Fort Oruro, by the seasonal watercourse known as Cañada Bolívar, impressed upon Schmidt the prevalence of cultural loans. Searching, as ever, for collectable museum pieces, what he mostly found were military débris from the Chaco War—a point well illustrated in the Tapiete photographs which we here reproduce. But he was a patient ethnographer and, in the short space of time that he spent with the Tapiete, he took note of their knotting and weaving techniques and of the women's knuckledusters, which he found to be similar to those used by Wichí, Chorote, and Nivaclé women. He also noted parallels with the Chorote and Nivaclé in the Tapiete custom of smoking tobacco, and with the Chorote and Wichí in their pottery. Their household equipment was also identical. And yet they wore *chiripá* wraps and *tembeta* chin-plugs and spoke a dialect of Guaraní, resembling as such the Chiriguano. For Schmidt, the most compelling evidence of their fluidly multicultural identity was the fact that the village leader was a Chiriguano man married to a Tapiete woman.[97] Like other pioneers of Chaco ethnology, Schmidt identified the Tapiete as a "Guaranized" people who spoke a Guaraní dialect but whose material culture bore traces of close links with Chaco peoples such as the Wichí and the Chorote.[98]

Schmidt also visited several Chiriguano camps at Machareti and Guachalla, as well as some two thousand Isoseños, Guaraní-speaking war-refugees from the Bolivian region of the Parapetí River. He at once noted that the Isoseños rejected being identified as Chiriguano. Owing to their transhumant circumstances, Schmidt supposed them to be an "acculturated," "mestizo" population. But the time he spent with them was insufficient for him to acquire a knowledge of their language or record their myths, tales, and oral traditions. Instead, he concentrated once again on their material culture. In this case, his analysis was, for its time, relatively sophisticated in terms of its historical reconstruction of the ethnic map of the region. Given that, in the pre-Columbian past, the Chiriguano had imposed relations of domination, servitude, and tribute on the Yuracaré, Tamacoci, and Chané, certain perceived Andean ("Peruvian") influences in Chiriguano textile techniques were understood by him, following Métraux, as having been absorbed by Chiriguano women in the process of intermarrying with piedmontese Chané. Indeed, in keeping with the canonical thesis advanced both by Nordenskiöld and by Métraux, Schmidt proposed that societies such as

94. Schmidt 1937a: 2–5. Less fruitful was Schmidt's visit to the Nivaclé in the Oblate missions on the middle Pilcomayo. There, with the assistance of a missionary who had a command of the language, he managed at most to compile a wordlist (Schmidt 1940c: 73). However, the reconstruction of an indigenous culture on the basis of information provided by a limited number of individuals was not an obstacle for Schmidt. Between the years 1940–41 he interviewed the last surviving Payaguá, María Dominga Miranda, who was living in a shantytown near the Ethnographic Museum in Asunción (Schmidt 1949; Unger 1984: 229).

95. Schmidt 1937a: 1.

96. Schmidt 1937a: 4, 25, 34.

97. Schmidt 1937b: 40–53.

98. For Schmidt, the Tapiete are descended from the ancient Tamacoci or Zamuco. Subjugated by Andeanized Guaraní, they were forced to migrate eastwards, bringing them into contact with peoples of the Chaco: "In reply to that question, we should not presuppose that there exists a clearly defined tribe known as the 'Tapieté'; nor should we go on to ask the question: to which ethnicity does this tribe belong? Rather we should take as our starting point the fact that, in the region between the rivers Parapití and Pilcomayo, there are Indians who speak a dialect of the Guaraní language that is almost identical to the dialect of the Chiriguano and Chané-Izozó. They possess certain cultural elements in common with the Chiriguano and the Chané, though they mainly share the culture of the surrounding tribes of the Chaco. In the Pilcomayo region, they are generally know to the settlers as Tapieté and, in the Parapití region, as 'Yanaygua or Yanagua'" (1937b: 53–56).

y Métraux sugirió que sociedades como los chiriguanos, los isoseños o los chanés son productos históricamente situados de diversas oleadas de mestizaje entre grupos tupí-guaraní y arawak: "Los Chiriguanos y los Chanés forman al presente una entidad de cultura que se puede significar como cultura de los Chiriguanos, porque la lengua Guaraní de los Chriguanos llegó a ser la lengua común de todo el grupo. También los Izozós pertenecen a esta entidad étnica. Así que hay que considerar a esta entidad como formada por tribus completamente diferentes. También hay que concebir su cultura como el producto de la fusión de elementos culturales muy heterogéneos".[99]

3.b. La etnografía de Max Schmidt

Hemos reseñado, hasta aquí, las expediciones realizadas por Schmidt en el Mato Grosso y el Gran Chaco, durante las cuales fueron tomadas las fotografías que componen este libro. En este punto podemos esbozar algunas observaciones generales sobre la etnografía que estas fotos ilustran, que acaso nos ayuden a entender el lugar que las fotos ocupaban dentro del trabajo de campo de Schmidt y la imagen de la vida indígena que procuraban transmitir.

Empecemos, pues, por observar su singular empeño por fotografiar, aun en las circunstancias menos favorables, la vida indígena. En las expediciones pioneras de finales del siglo XIX la fotografía etnográfica era algo difícil. En las expediciones de Steinen, su primo Wilhelm von den Steinen era el encargado de reproducir, por medio de dibujos, las escenas y objetos; Ehrenreich, por su parte, apenas consiguió fotografiar algunas escenas de viaje y tipos físicos. Los tempranos empeños fotográficos de Schmidt –quien venciendo todos los contratiempos consiguió reunir un fondo fotográfico nada despreciable– deben ser valorados en este contexto. Es evidente que, si bien percibía el potencial artístico de esta técnica, ante todo valoraba la fotografía como una forma de registro científico. Descreía de los análisis antropométricos, que jamás

practicó; de modo que, lejos de los retratos de esa índole (donde los indígenas posaban generalmente desnudos, de frente y de perfil), sus fotografías procuraban registrar situaciones cotidianas. Obtenerlas no era sencillo: por un lado, el delicado aparejo fotográfico sin dudas representaba una pesada carga en el modesto cargamento de sus expediciones; por el otro, si bien los indígenas apreciaban las dádivas de fotos y los retratos impresos en los libros, no se mostraban tan entusiastas a la hora de posar frente a la cámara, y a veces eran necesarios largos parlamentos diplomáticos antes de obtener la primera fotografía. Así, por ejemplo, en su primer viaje a los bacairís, anota: "conseguí convencer a uno de los caciques de Maimaieti del carácter inofensivo de mi aparato fotográfico. Le pedí que mirara en el espejo de la cámara, y me coloqué delante de la lente. Al comprobar que no ser reflejado así no me provocaba ningún daño, siguió mi ejemplo y así pude fotografiar a todo el grupo".[100] Por último, los procedimientos técnicos sumaban dificultades a los ya muchos apremios del viaje; revelar las fotografías, por ejemplo, era siempre penoso: implicaba meterse durante las noches bajo una frazada de lana, con la lámpara roja y los instrumentos fotográficos –dejando las piernas a merced de los inexorables mosquitos.

Si bien en sus escritos teóricos y en sus más ambiciosos análisis históricos o ergológicos –donde, como hemos visto, hacía hincapié en las bases materiales de la subsistencia y el entorno geográfico de las culturas– Schmidt acusa una clara influencia de la antropo-geografía de Ratzel y de este modo un cierto parentesco con la escuela difusionista,[101] las duras impugnaciones que dirigió a esta última responden a otra filiación intelectual que ya conocemos.[102] En lo que podríamos llamar su ética profesional –el énfasis puesto en el trabajo de campo, el incansable empirismo metodológico– hemos percibido la igualmente diáfana herencia de Bastian y Steinen: Schmidt se mantuvo casi siempre –y en esto reside la fuerza y la debilidad de sus obras– como un empirista acérrimo, que la mayor parte de las veces se contenta con ofrecer informaciones etnográficas fieles, y

99. Schmidt 1938: 3-4. Resulta particularmente interesante que al recoger un léxico de más de seiscientas entradas Schmidt aporte algunos de los pocos datos concretos sobre la polémica persistencia de la antigua lengua chané –polémica basada hasta entonces en tan sólo seis palabras recogidas por Nordenskiöld: "Un cacique de los Chanés del Parapití, llamado Batirayu, dijo a Nordenskiöld que algunos de los Chanés sabían todavía algunas palabras de su lengua primordial, y que tenía hoy el carácter de lengua secreta. Así muchas veces se usan todavía invectivas de la lengua primordial de los Chanés, como: 'karitimisóyti' lo que los indios tradujeron como equivalente a 'hijo de puta'. También encuéntranse canciones en la lengua primordial, por ejemplo: 'siparakinánoye, siparakinánoye, siparakinánoye, tonéya, tonéya, tonéya, tonéya' pero que ellos no pueden traducir. Nordenskiöld no logró sinó con mucho trabajo y paciencia apuntar seis palabras de la lengua primordial de los Chanés en el pueblo Huirapembe en el Parapití donde se dijo que vivían algunos indios Chanés que sabían todavía su lengua primordial. De la comparación de estas seis palabras con las palabras correspondientes

en la lengua de los Mojos resulta su grande semejanza con esta, así que no puede ponerse en duda de que los Chanés pertenecían primordialmente al grupo lingüístico de los Aruacos" (Schmidt 1938: 90-91).

100. Schmidt 1942b: 55. El evento se repetía en otra aldea bacairí: "Si bien éramos todos amigos, fue con mucho trabajo que conseguí convencer a uno u otro que se dejaran fotografiar. Siempre obtuve un grupito de cinco niños delante del aparato, que por miedo bajaban las cabezas y apretaban con fuerza los ojos" (Schmidt 1942b: 47).

101. Oliveira 2003.

102. Baldus resume bien el sentido general de estas impugnaciones: "Lo que caracteriza su personalidad científica y constituye su valor capital para el desarrollo de la etnología, es su tendencia a los estudios ergológicos y económicos, temas que se le presentan como más perceptibles, mejor documentables y, por consiguiente, menos sujetos a mistificaciones y mal entendidos que aquellos de la llamada 'cultura espiritual', en el sentido dado a este término por K. Th. Preuss (...) No obstante, esto no lleva a Max Schmidt a olvidar el hombre como factor decisivo también en la 'cultura material'. Así, considera él no solamente la economía como proceso social, sino también, en la ergología, la finalidad de cada objeto físico, colocándose de este modo en oposición al padre Wilhelm Schmidt cuando éste se limita a comparar formas sin dar importancia a la función" (Baldus y Recalde 1943: 177).

those of the Chiriguano, the Isoseño, and the Chané are the historical outcome of diverse waves of intermarriage between Tupí Guaraní and Arawak peoples: "Today the Chiriguano and the Chané form an ethnic entity that can be defined as culturally Chiriguano, because the Chiriguano's Guaraní language has come to be shared by all the component groups. The Izozó also belong to the same ethnic entity, which should therefore be considered as being composed of completely different tribes. Its culture should also be understood as the product of the fusion of very heterogeneous cultural elements."[99]

3.b. Max Schmidt's ethnography

We have outlined the expeditions both to the Mato Grosso and to the Chaco during which Schmidt took the photographs presented here. It remains to add a few general remarks about the photographs as ethnography, with specific reference to the place Schmidt ascribed to photography in his fieldwork and the image of indigenous life that he sought to portray.

We should begin by stressing his commitment to the photography of indigenous life, even under the most unfavourable circumstances. At the end of the nineteenth century, ethnographic photography was not a simple matter. On Steinen's expeditions, responsibility for the visual reproduction of scenes and objects had been entrusted to his cousin Wilhelm von den Steinen, who drew the images by hand. The photographs taken by Ehrenreich amounted only to a few shots of travel scenes and physical types. Schmidt's photographic endeavours at that early stage—all the more remarkable for the setbacks he endured—resulted in a far from negligible reserve whose value has to be assessed in context. While aware of the artistic potential of the medium, he valued photography as, above all, a form of scientific record. Unconvinced by anthropometric analysis, in which he never engaged, his photographs have nothing in common with the portraits typical of that

genre (in which the subject stood, usually naked, facing the camera and in profile position). Rather, they aim to capture everyday situations. This in itself was a complicated task. For one thing, the equipment was a heavy, and delicate, load for expeditions of the modest proportions of those on which he embarked. Furthermore, the indigenous people, although always appreciative both of the photographs they were given and of those they were shown in books, were reticent when it came to posing in front of the camera. Long diplomatic exchanges were sometimes necessary before the first photograph could be taken. As he noted, for example, in his first fieldtrip to the Bacairí: "I managed to convince one of the headmen of Maimaieti of the inoffensive character of my photographic apparatus. I asked him to look in the camera's mirror, and placed myself in front of the lens. On verifying that I suffered no injury from being thus reflected, he followed my example and so I was able to photograph the whole group."[100] Finally, the technical process of developing the photographs added to the difficulties encountered on the journey. It required working at night under a woollen blanket, with a red light and darkroom equipment—and with his legs helplessly exposed to inexorable mosquitos.

As we have seen, Schmidt's theoretical writings, as well as his most far-reaching historical and ergological analyses, underscore the material basis of subsistence and the geographical grounding of culture. As such, they clearly reveal the influence of Ratzel's anthropogeography and even a certain kinship with the diffusionist school.[101] As we know, however, Schmidt's intellectual filiation lay elsewhere and led him to take issue with diffusionism.[102] His professional ethos with its emphasis on fieldwork and untiring methodological empiricism, was unmistakably the heritage of Bastian and Steinen. Schmidt almost aways remained an uncompromising empiricist—wherein lies both the strength and the weakness of his works. He was mainly content to provide accurate ethnographic information, a position more or less shared by all of Bastian's

99. Schmidt 1938: 3–4. Schmidt compiled a wordlist, consisting of over 600 entries, which makes one of the few solid contributions concerning the alleged persistence of the ancient Chané language—a polemic generated by Nordenskiöld's register of six surviving words: "A Chané headman named Batirayu, from the Parapití, told Nordenskiöld that a few of his people still knew some words from their original language, which today has the character of a secret language. Expletives are often used, for example, that are of primordial Chané origin, such as *karitimisóyti*, translated by the Indians as the equivalent of 'son of a whore'. Chané-language songs can still be heard, as in the lyric (which none was able to translate) *siparakinánoye, siparakinánoye, siparakinánoye, tonéya, tonéya, tonéya, tonéya*. Only with much patient perseverance did Nordenskiöld succeed in recording, in the village of Huirapembe on the Parapití, where some Chané were said to live who still knew something of their ancestral idiom, six words from that dying language. A comparison of those six words with their equivalents in the Mojo language reveals a similarity between them which

leaves in no doubt that Chané-speakers were members of the Arawak language family" (Schmidt 1938: 90–91).

100. Schmidt 1942b: 55. The same situation arose in another Bacairí village: "Despite our all being friends, it was with great difficulty that I managed to convince one or two of them to agree to being photographed. I always had a group of children in front of the apparatus, but they lowered their heads out of fear and shut their eyes tight" (Schmidt 1942b: 47).

101. Oliveira 2003.

102. Baldus and Recalde (1943: 177) give a succinct account of the ethnological principles that Schmidt championed: "What distinguishes his scientific personality and makes his work of capital value in the development of ethnology is his concentration on ergological and economic studies. He finds the issues addressed under that rubric to be more objective, more readily documented and, consequently, less susceptible to mystification and misunderstanding than the topics arranged under the title 'spiritual culture', in the sense given to the term by K. Th. Preuss [...]. Nonetheless, this does not lead Max Schmidt to forget man as a decisive factor in 'material culture'. Not only does he give attention to indigenous economy as a social process but, in the field of ergology, he considers the purpose of each physical object. In this way, he places himself in opposition to Father Wilhelm Schmidt, in so far as the latter limits himself to formal comparison, without concern for function."

todos los discípulos de Bastian dedicados a la etnografía "de salvataje" compartieron en mayor o menor medida esta posición.[103] También en la concepción romántica del viaje podríamos leer esa herencia: lejos de las grandes expediciones organizadas por Steinen, Schmidt –al igual que Bastian– solía viajar ligero de equipajes y sin escoltas. En ambos se daba la extraña conjugación, destacada por Lowie, entre un espíritu aventurero en el campo y el ánimo de un "tímido ratón de biblioteca, o aun un recluso" en Berlín.[104] En este punto conviene repetir que, como todo etnólogo alemán en el siglo XIX, Bastian era un ferviente admirador de Alexander von Humboldt, cuyos viajes por América y Siberia repitió fielmente; y es indudable que la figura paradigmática del gran explorador también pesó en la sensibilidad viajera de Max Schmidt. Más que en citas esporádicas, la continuidad puede leerse claramente en sus biografías: los tres prefirieron, cada vez que pudieron, la libertad de los viajes a la estabilidad familiar en Alemania; en este sentido, la timidez u hosquedad de Schmidt fue tan legendaria como la de Bastian, y ambas remiten a su vez a una famosa diatriba de Humboldt contra el matrimonio y la procreación de hijos.[105]

La percepción de la vida indígena que encontramos en los escritos etnográficos de Schmidt acusa el peso de esa herencia. Como hemos dicho, compartía en buena medida el ideal de los *Naturvölker*, los "pueblos de la naturaleza", objeto por excelencia de la etnología americanista de raigambre germánica. De ahí sus persistentes esfuerzos por internarse en la selva profunda para convivir con indígenas reacios al contacto. En sus escritos, este ideal toma frecuentemente la forma de una grilla valorativa de la vida indígena. A menudo destaca, por ejemplo, las complejidades tecnológicas o ideológicas de los grupos estudiados; así, la mudanza de una aldea bacairí de una margen del río a la otra –que implicaba la difícil limpieza de un enorme terreno– inspiraba el siguiente comentario: "los indios saben producir cosas admirables, sirviéndose de los elementos naturales, de una manera relativamente simple y en un

tiempo relativamente corto".[106] Tal como se percibe en la frase, el valor privilegiado de la sociabilidad indígena residía en sus formas más simples, percibidas –sin demasiadas excusas teóricas– como más auténticas. Schmidt admiraba ante todo la delicada integración del indígena con la naturaleza, que a veces llevaba a un plano casi biológico:

> Cuántas veces sentí envidia de los indios al comprobar su superioridad física respecto de los europeos, al verlos meterse en la selva llena de espinas, completamente desnudos, sin siquiera salir rasguñados. Entre ellos el pie posee otras funciones, mientras que el nuestro está condenado, aun durante el verano, a soportar desde niño un zapato.[107]

Por supuesto que aquí podría leerse una manifestación de un exotismo romántico muy extendido en la segunda mitad del siglo XIX: la exaltación de una vida indígena percibida como espontánea, fiel a los instintos, libre de las imposturas y alienaciones de la vida burguesa –en suma, una existencia "natural".[108] En sus páginas más líricas se percibe, en efecto, una cierta idealización de la vida en la selva; sin dudas algo de esto hubo en las razones que lo llevaron a abandonar periódicamente la vida en Alemania y a buscar la compañía de los indígenas, e indudablemente el persistente interés de su círculo académico por los *Naturvölker* representaba alguna variedad del exotismo decimonónico.

Sin embargo, de ninguna manera podría reducirse la percepción que Schmidt poseía de la vida indígena –la cual llegó a conocer de cerca– a una simple variación de las ideas rousseaunianas, forjadas para consumo europeo. Lejos de cualquier visión estática o arcaica de la mentalidad indígena, Schmidt destacó a menudo la invencible curiosidad de los habitantes del Mato Grosso, su insistencia por aprender palabras en alemán, su insondable necesidad de escuchar la canción *Margarethe* ejecutada en su violín. Transmitía, así, una imagen dinámica del contacto entre el solitario científico y sus huéspedes, en

---

103. Tal es el enfoque alemán que Franz Boas (1996) denominara "cosmográfico" –aludiendo a *Kosmos*, obra magna de Humboldt–, que privilegiaba el interés por los fenómenos particulares en sí mismos.

104. Lowie 1937: 31.

105. Köpping 2005: 11, 26.

106. Schmidt 1942b: 49.

107. Schmidt 1942b: 36. Resuenan aquí, además, las enseñanzas de Steinen, para quien "la cultura de los salvajes es, por lo común, mucho más alta, y la nuestra mucho más baja, que lo generalmente estimado" (cit. en König 2007: 134).

108. Rebok 2002: 206. No obstante, esta naturalidad no impedía reconocer los rigores que frecuentemente supone la vida selvática: "Algunos escritores modernos parecen ser de la opinión de que los pueblos primitivos encuentran todo lo que necesitan con poco o ningún esfuerzo" (Schmidt 1926: 103).

students who devoted themselves to "salvage" ethnography.[103] Part of the same heritage was Schmidt's Romantic concept of travel. Unlike the large expeditions organized by Steinen, Schmidt, like Bastian, travelled light and without escorts. As Lowie pointed out, both men represented the curious combination of an adventurous spirit in the field and that of a "shy bookworm, if not a recluse" in Berlin.[104] It should be borne in mind in this regard that Bastian, like all nineteenth-century German ethnologists, was a fervent admirer of Alexander von Humboldt, whose travels in America and Siberia he faithfully replicated. And there can be no doubt that Max Schmidt's sensibilities as a traveller bore the imprint of that paradigmatic explorer figure. Both Bastian and Schmidt sporadically cited Humboldt's works, but the continuity between the three men emerges above all in their biographies. All three preferred, whenever possible, the freedom of fieldtrips to the familiar stability of life in Germany. What is more, Schmidt's reclusiveness, or shyness, was as legendary as Bastian's and, in both cases, it harks back to Humboldt's famous diatribe against marriage and procreation.[105]

The perception of indigenous life that Schmidt's ethnographic writings convey is also part of the same heritage. As we have already mentioned, he conceived of "people of nature" (*Naturvölker*) in largely the same ideal terms that epitomized the Germanic tradition of Americanist ethnology. Hence his determination to live in the depths of the forest with Amerindians averse to contact. Often the ideal forms the basis of a value scale against which indigenous life is measured. Ideological or technological complexity is highlighted, for example, in the case of the Bacairí village which was transferred from one side of the river to the other. The move, which involved the clearing of a large area, inspired the following commentary: "the Indians are capable of admirable feats, handling natural resources in a relatively simple and speedy manner".[106] As the remark indicates, indigenous sociability was valued in accordance with its simplicity, where such simplicity was perceived (without elaborate theoretical foundation) as being more authentic. Schmidt admired, above all, the Amerindians' subtle integration with nature, which at times he transposed on to an almost biological plane:

> How often I envied the Indians their physical superiority with respect to Europeans, on seeing them enter the thorny forest, completely naked, and come out unscratched. Their feet have uses unknown to ours, which we condemn to enduring shoes, even in summer, from childhood.[107]

Such lines could, of course, be interpreted as an expression of Romantic exoticism. In the second half of the nineteenth century, indigenous life was widely exalted as a "natural" existence—spontaneous, instinctive, free from the imposture and alienation of bourgeois society.[108] The idealization of life in the forest that can be detected in Schmidt's writing, at its most lyrical, and which goes some way towards explaining why he periodically departed from Germany in order to seek out Amerindian company, illustrates the interest in *Naturvölker* held by his academic circle, which undoubtedly was itself representative of a variety of that exoticism.

Nonetheless, Schmidt's perception of the indigenous life of which he acquired direct knowledge cannot be reduced to a variation on a theme of Jean-Jacques Rousseau, designed for European consumption. Far from adhering to the theory of indigenous mentality as archaic or static, he underscored its insatiable inquisitiveness. He repeatedly referred, for example, to the interest shown by the peoples of the Mato Grosso in learning German words and in endlessly hearing his rendition of the song "Margarethe" on the violin. In other words, he transmitted a dynamic image of the relation between the scientist and the Amerindian, one in which ethnological curiosity was by no means confined to the former. The thirst for knowledge was mutual: "These people, of such limited horizons, seized on the opportunity

---

103. The German perspective, which prioritized the study of specific phenomena in their own right, was termed "cosmographic" by Franz Boas (1996), in allusion to Humboldt's magnum opus entitled *Kosmos*.

104. Lowie 1937: 31.

105. Köpping 2005: 11, 26.

106. Schmidt 1942b: 49.

107. Schmidt 1942b: 36. Schmidt's attitude is reminiscent of the teachings of Steinen, for whom "the savages' culture is, ordinarily, much higher, and ours, much lower, than generally estimated" (quoted in König 2007: 134).

108. Rebok 2002: 206. In Schmidt's case, extolling nature did not imply an underestimation of the rigours of forest life: "Some modern writers seem to be of the opinion that primitive peoples find all they need with little or no effort" (Schmidt 1926: 103).

la cual la curiosidad etnológica no se restringe de ningún modo a los occidentales y por lo tanto el asombro del "descubrimiento" es siempre recíproco: "Esa gente, que vivía en tan limitado horizonte, experimentaba la sensación de que nuevamente había oportunidad de ver o aprender algo nuevo, y de adquirir, si era posible, otras realidades".[109] En efecto, las notas de Schmidt suelen reconocer en los indígenas actores auténticamente racionales; así, por ejemplo, una breve anécdota de campo refleja tanto la persistencia de la tesis de la unidad psicológica de la humanidad como a la vez el respeto particularista por la filosofía social indígena:

> Durante mi estadía entre los indios guató, una mujer – en una imitación inconsciente de la pregunta homérica τίς πόθεν εἰς ἀνδρῶν– quería saber desde dónde había llegado. Su pregunta fue 'Diruadé iókaguahe nitoavi?' (¿Cómo son las cosas en tus tierras?). Luego preguntó: '¿Hay mucha gente en tu tierra? ¿Hay muchas casas allí?'. Su pregunta sobre la duración de mi viaje fue: '¿Estaba grande el río cuando viajaste?' ¿Estaba tu camino libre de maleza?'. Incluso estas pocas palabras nos permiten dar un vistazo a la vida de estos guatós, y revelan cuán profundamente el río participa de sus pensamientos.[110]

Una vez más: esta concepción humanista –muy diferente de otras en boga en aquella época– era una herencia de la tradición etnológica alemana condensada en Bastian, para quien la cultura indígena era una manifestación del espíritu universal tan válida e instructiva como la europea. De hecho, el estudio de los *Naturvölker* era una condición necesaria para acceder al hombre universal, a la unidad psicológica de la humanidad. Schmidt compartía esta posición general, que lo mantuvo siempre a salvo de los peores vicios de las posturas evolucionistas o difusionistas, aunque en su caso no implicara repetir sus supuestos y conclusiones idealistas: sus estudios eran siempre localizados, basados

en el empirismo más estricto, sin hacer del Mato Grosso un laboratorio cultural o psicológico para esgrimir inferencias generales sobre la humanidad.[111]

En los relatos de sus expediciones se percibe, así, una tensión entre el ideal de los *Naturvölker* como objeto primordial de la etnología y las realidades mucho más híbridas y complejas que encontraba en el terreno. Una muestra es su frecuente interés por los fenómenos de aculturación y el cambio cultural provocado por el contacto entre indígenas y colonos –por ejemplo, en su análisis del contraste entre los bacairís del Paranatinga ("europeizados") y sus parientes del Río Curisevo ("montaraces"). Esta preocupación encontraba un antecedente en los estudios previos de Steinen, Ehrenreich o Meyer, quienes se habían interesado por el problema de la introducción de bienes europeos –ante todo de metales– en las culturas indígenas del alto Xingu. En cualquier caso, los intentos de Schmidt por abordar científicamente los fenómenos de aculturación constituyen una muestra de su imperturbable fidelidad a la realidad observada.[112]

Antes que nada, los escritos etnográficos de Schmidt son una exhibición de empirismo. Para empezar, ofrecen una densidad de detalles por momentos abrumadora: los nombres de los bueyes, cada uno de los animales salvajes avistados o cazados, la composición de las sucesivas compañías, las peripecias del paisaje, cada uno de los platos degustados, las transacciones, los bienes entregados, obtenidos o perdidos. De este modo el relato hace explícito, de modo casi exuberante, el contexto preciso en el cual se obtuvo cada dato; y así, muy lejos de una descripción depurada, estática, abstracta y sedimentada de la vida social indígena, no escatima el contexto del contacto concreto entre el etnógrafo y ciertos miembros de un grupo en un lugar y en un momento precisos.[113]

En sus estudios de la organización social indígena, este empirismo se traduce en un marcado individualismo descriptivo. Éstos ofrecen un cuadro vívido y fluido de las relaciones interétnicas y de la organización social;

---

109. Schmidt 1942b: 271. Como veremos, el reconocimiento de esta capacidad implica un perspicaz interés por los procesos de "aculturación".

110. Schmidt 1926: 41.

111. Thieme 1993: 68-69.

112. Schaden 1993: 123. Hay que reconocer en este punto que la agudeza analítica de Schmidt no era siempre constante. Hemos visto cómo pretendía aislar los rasgos culturales "primordiales" de los "externos" en la cultura material de los guisnais chaqueños, y en los pasajes sobre la aculturación guató se percibe la idea de un idílico "estado puro tribal" que el contacto con la cultura brasilera habría alterado, así como también la consecuente preocupación museográfica por indagar qué objetos de la cultura material nacieron de dicho contacto. Sin embargo, a renglón seguido encontramos interesantes observaciones sobre la injerencia del derecho estatal en las rápidas transformaciones del derecho guató, problema que "debe ser investigado en menor medida en el terreno económico, y en mayor medida en el terreno psicológico" (1942b: 264) puesto que permite apreciar concretamente los anclajes ideológicos de las concepciones indígenas de la propiedad individual o el poder político.

113. Al mismo tiempo, hay que añadir que sus páginas etnológicas están plagadas de intuiciones generales. Véase, por ejemplo, esta reflexión sobre las relaciones que existían entre las máscaras del Paranatinga y las del Curisevo, que bien podría provenir de *La voie des masques* de Claude Lévi-Strauss: "Influencias recíprocas ejercidas durante las fases más diversas de esa evolución crearon un cuadro general, cuyos componentes están siempre relacionados por transformaciones, aun cuando esos componentes permanecen en cierto sentido individuales" (1942b: 353).

to see or learn something novel and, in so far as possible, incorporate other realities."[109] In Schmidt's fieldnotes, the Amerindians are represented as genuinely rational agents. A short anecdote, for example, raises the perennial question of the psychic unity of humanity at the same time as it does honour to the detail of indigenous thought processes:

> In the course of my stay among them, a Guató woman —in unconscious imitation of the Homeric question: τίς πόθεν εἰς ἀνδρῶν—wanted to know where I had come from. She asked: *Diruadé iókaguahe nitoavi?* ("How are things in your lands?"). She went on to ask: "Are there many people in your land? Are there many houses there?" With regard to the duration of my journey, her question was: "Was the river full when you set out? Was the path free of undergrowth?" Those few words give us a glimpse of Guató life and show how intensely the river is present in their thoughts.[110]

Once again, Schmidt's approach is humanist. Very different from the scientific agendas in vogue at the time, it was a legacy of the German ethnological tradition personified by Bastian, for whom indigenous culture, as a manifestation of the universal human spirit, was as valid and instructive as the European model. Indeed, the study of *Naturvölker* was a prerequisite for demonstrating the psychic unity of humanity and thereby acquiring a knowledge and understanding of universal mankind. Schmidt abided by that point of view, which saved him from the worst defects of diffusionism and evolutionism, without making an extreme idealist of him. His ethnographic studies always remained rooted in their local context and responded to a methodology based on strict empiricism. The Mato Grosso, in other words, was never for him a laboratory for the elaboration of general cultural or psychological theories about humanity.[111]

Indeed, Schmidt's accounts of his fieldtrips testify to the tension he felt between the ideal principle that *Naturvölker* are the primary object of ethnological study and the far more complex and hybrid reality he encountered on the ground. He frequently focused on the phenomena of acculturation and culture change resulting from contact with colonists. An example is his analysis of the contrast between the "Europeanized" Bacairí of the Paranatinga and their forest relatives on the Curisevo River. A precedent for his concern with such questions is to be found in the writings of Steinen, Ehrenreich, and Meyer, who had similarly interested themselves in the problem of the introduction of European products—principally, metal objects—in the indigenous cultures of the Upper Xingu. Nevertheless, Schmidt's preoccupation with addressing scientifically the phenomenon of acculturation is testimony to his imperturbable fidelity to observed reality.[112]

The empirical detail into which Schmidt's fieldtrip accounts enter is at times overwhelming: the composition of the party (including the names of the oxen); the vicissitudes of the terrain; the wild animals sighted or hunted; the meals eaten; the transactions made and the goods given, received, or lost. With almost exuberant precision, he makes explicit mention of the context in which his information was collected. That is to say, far from giving a static description of indigenous life in the abstract—sanitized and essentialized—he presents the background against which his contact with a certain group of Amerindians took place, at a specific time and in a specific place.[113]

Insofar as his sociological observations are concerned, Schmidt's empiricism consisted in what is perhaps best defined as descriptive subjectivism. He painted vivid pictures of interethnic relations and social organization. A case in point is his evocation of the contest for political power between a Bacairí chief and his son, in a passage reminiscent of Branisław Malinowski. In stark contrast to diffusionist preoccupations with the dissection and museological classification of cultures, and in even starker contrast to evolutionist or racial speculations, Schmidt's ethnography aimed to provide an intimate semblance of

109. Schmidt 1942b: 271. Schmidt's recognition of the said indigenous capacity coincided, as we shall see, with a sharp interest on his part in processes of acculturation.

110. Schmidt 1926: 41.

111. Thieme 1993: 68–69.

112. Schaden 1993: 123. It has to be said that Schmidt's analytical acuity was not always consistent. We have seen how he considered it important to distinguish between "primordial" and "external" elements in "Guisnai" Wichí material culture; how his thoughts on Guató acculturation revolve around the notion of an idyllic "pure tribal state" that had been disrupted by contact with Brazilian culture; and how his museological concerns led him to seek to single out those aspects of their material culture that derived from that contact. And yet he goes on to comment on the incidence of state law in the rapid modification of Guató customary law, a situation that he saw as "needing to be investigated, both on an economic level and, above all, on a psychological level" (1942b: 264). The investigation would reveal the extent to which Guató culture gave ideological support to concepts of individual property and political power.

113. It should not be supposed that Schmidt's ethnography was not also prone to intuitive generalizations. His reflections, for example, on the relation between Paranatinga and Curisevo masks are worthy of Lévi-Strauss's *La voie des masques*: "Reciprocal influences that were in operation during the most widely diverse phases of that evolution created a general pattern, the component parts of which are related by processes of transformation, even though in a certain sense they preserve their individuality" (1942b: 353).

en el caso de los bacairís, por ejemplo, unos pasajes que recuerdan las mejores páginas de Malinowski nos muestran a un jefe y a su hijastro compitiendo por el poder político. Muy lejos de los intereses difusionistas que diseccionaban la cultura o la concebían como una taxa museológica, mucho más lejos todavía de las especulaciones raciales o evolucionistas, las obras etnográficas de Schmidt procuran ofrecer una semblanza íntima y minuciosa de los intereses y las motivaciones psicológicas de los indígenas como actores individuales. Esta perspectiva puede percibirse en las páginas que dedica a las diversas fiestas rituales que presenció en Mato Grosso. En ellas nunca se muestra muy interesado por los posibles significados compartidos de estos ritos. Sin dudas su desconocimiento del idioma volvía muy difícil un abordaje simbólico, pero aquí también podemos entrever una idea muy precisa de la sociabilidad indígena más que el efecto de una limitación metodológica. Véase, por ejemplo, esta interpretación de una fiesta de bebidas guató:

> Como en general ocurre, el principal significado de estas fiestas, motivadas por el placer de la bebida fuerte, reside en que por un rato el individuo puede dar rienda suelta a sus sentimientos. Así, en estas ocasiones recuerdan a los muertos, experimentan gratitud hacia el anfitrión, homenajean a Eros y los placeres que concede. De igual modo se agita el sentimiento de la fuerza y la supremacía humana, mezclado con el amor propio herido y la envidia, así como viejas ideas de venganza.[114]

No extraña, entonces, que las páginas sobre los rituales indígenas, lejos de atisbar algún patrón simbólico subyacente, consistan en vívidas y minuciosas descripciones de acciones individuales impulsivas, desbordadas y desordenadas.

En cuanto a la metodología general de su trabajo de campo, ciertas características de las expediciones de Schmidt lo presentan como un precursor del tipo de etnógrafo científico que iba a imponerse décadas más tarde. Entre ellos puede mencionarse su empeño por viajar sin compañeros europeos, el vínculo genuino que procuraba establecer con los indígenas, y ante todo sus intenciones –nunca concretadas– de asentarse un largo tiempo en un solo grupo para realizar un estudio intensivo. Estas intenciones –compartidas por otros etnólogos de su círculo– no eran simplemente el efecto de la organización práctica de sus expediciones (una combinación de misantropía y limitados recursos financieros), sino que respondían a una concepción particular del tipo de conocimiento que se buscaba lograr.

Este modo de entender el oficio de etnólogo también puede percibirse en sus tempranas notas sobre la lingüística de los indígenas del Mato Grosso. En Alemania existía toda una tradición de estudios filológicos sobre países no-europeos que se había afianzado en el siglo XVII; subyacía a muchas de estas escuelas la idea –formulada explícitamente por Leibniz, Herder y en particular Wilhelm von Humboldt– de que existía una correlación entre la estructura del lenguaje y el "espíritu" de cada sociedad; o bien que el lenguaje constituía per se una "cosmovisión" específica.[115] Esta tradición filológica no se nutría solamente de estudios históricos: algunos de los principales materiales provenían de largos trabajos de campo y un minucioso aprendizaje de los idiomas nativos; es el caso de Heinrich Barth, lingüista y geógrafo de Hamburgo que a mediados del siglo XIX pasó cinco años en África y llegó a dominar varios dialectos locales. Herederos de esta tradición, los investigadores de la escuela de Bastian consideraban las encuestas lingüísticas como una herramienta de trabajo indispensable para la etnología; sin embargo, existían variaciones en el uso que cada uno les daba y las inferencias que esperaba obtener de ellas. Así, en las investigaciones pioneras de Steinen las encuestas eran la herramienta privilegiada para alcanzar el objetivo principal: esbozar el mapa étnico de vastas regiones del Brasil, descubriendo las relaciones inclusivas que existían entre los diversos grupos –pues prefería la clasificación lingüística a la entonces llamada

---

114. Schmidt 1942b: 116.

115. Gingrich 2005: 68–71. Según Humboldt, "el lenguaje es la representación externa del genio de los pueblos" (Humboldt cit. en Bunzl 1996: 32).

fig. 19

fig. 19   Libretas de campo y tejidos chaqueños de Max Schmidt
Chaco fieldwork notebooks and textiles of Max Schmidt

the psychological motivations of the indigenous subjects in their capacity as individual agents. The attention he gave, for example, to the ritual festivities that he witnessed in the Mato Grosso did not extend to their possible symbolic significance. The linguistic barrier was undoubtedly responsible to some extent but, rather than methodological limitations, his description reveals a clear sense of indigenous sociability. His interpretation of a Guató drinking feast is illustrative:

> As in the generality of cases, the significance of these feasts, which are motivated by the pleasures of fermented drink, resides in the possibility that the individual has of giving free reign to his feelings. On such occasions, they remember their dead, they pay their respects to the master of ceremonies and they do homage to Eros and the pleasures he bestows. Also prevalent is a sense of invincibility in connection with offences, jealousies, and past desires for revenge.[114]

As the example shows, the underlying symbolic significance of indigenous rituals is not addressed by Schmidt. By his account, they consist of a disorderly series of uncontrolled, impulsive individual actions.

Insofar as his general fieldwork methodology is concerned, Schmidt was to a certain extent a precursor of the scientific ethnographer whose characteristics were to become established decades later. Consider, for example, the solitary character of his expeditions, invariably undertaken without the company of other Europeans. Consider also the personal character of the relations he formed with the indigenous people. Above all, it was always his intention, albeit unfulfilled, to carry out intensive, long-term fieldwork with a single group. Such features—which, it should be mentioned, were also characteristic of other ethnologists of his circle—were not simply the result of practical or personal constraints, such as limited financial resources and a certain misanthropy. Rather, they were a

correlate of his pursuit of a particular kind of knowledge.

Schmidt's understanding of ethnological practice is apparent even in his early writings on linguistic issues in relation to the indigenous peoples of the Mato Grosso. Since the seventeenth century, a philological tradition had consolidated itself in Germany, with specific reference to non-European languages. One of its central tenets was the idea—explicitly formulated by Leibniz, Herder, and, in particular, Wilhelm von Humboldt—that there is a correlation between the "spirit" of a given society and the structure of its language. In other words, language per se was seen as being constitutive of a specific "worldview".[115] That philological tradition was nurtured not only by historical studies, but also by intensive fieldwork and painstaking native-language learning, which produced some of the principal source material. A case in point was Heinrich Barth, a linguist and geographer from Hamburg who, in the mid-nineteenth century, spent five years in Africa and acquired a command of several local dialects. As inheritors of the tradition, Bastian's school of researchers considered linguistic studies to be an indispensable ethnological tool, though they varied in the use they made of those studies and in the conclusions they expected to draw from them. Von den Steinen's linguistically oriented work was groundbreaking in that it departed from the so-called "anthropological" classificatory system of the time, based on anthropometric studies. For him, language was the means to the end—which, in his case, was that of charting the ethnic map of a vast area of Brazil and so reveal the all-inclusive relations existing among the indigenous societies that peopled the region.[116] His prolific studies of upper-Xingu languages aimed to establish macro-level ethnic filiations and thereby support large-scale hypotheses about collective migrations and contacts across huge areas of South America. Perhaps because the issue of ethnic classification was not such a pressing problem for the later generation to which he belonged, Schmidt's linguistic concerns seem to have been more closely aligned with Humboldtian maxims. His interest, for

---

114. Schmidt 1942b: 116.

115. Gingrich 2005: 68–71. According to Humboldt, "language is the externalization of the genius of a people" (quoted in Bunzl 1996: 32).

fig. 20

116. The underlying criterion is spelt out by Steinen's colleague Ehrenreich (1897: 11): "Identical or related languages always indicate, at the very least, prolonged vicinity and, as a rule, relations of consanguinity between the respective tribes." The demonstration of such relatedness required a linguistic rigour which went beyond the mere compilation of wordlists: "Strictly speaking, the method employed to ascertain linguistic kinship requires, with good reason, proof of grammatical concordance. Until now, our materials have been limited, almost exclusively, to a few badly transcribed vocabularies" (Ehrenreich 1892: 20).

fig. 20 Libretas de campo y tejidos chaqueños de Max Schmidt
Chaco fieldwork notebooks and textiles of Max Schmidt

"antropológica", basada en mediciones antropométricas.[116] Ahora bien, si los frondosos estudios de Steinen sobre las lenguas del alto Xingu pretendían establecer filiaciones étnicas masivas y fundamentar hipótesis de largo aliento sobre contactos y migraciones colectivas a través de vastas regiones de América del Sur, las notas lingüísticas de Schmidt –acaso por pertenecer a una generación posterior, para la cual los problemas de clasificación étnica ya no eran tan urgentes– parecen perseguir objetivos más cercanos a las máximas de Humboldt: por ejemplo, sus esfuerzos por anotar diálogos cotidianos –sin ninguna importancia intrínseca– se dirigían, en sus propias palabras, a "inferir la mentalidad" indígena. Percibimos una vez más un ideal muy preciso del conocimiento etnológico, así como una conciencia aguda de las dificultades implicadas: la "divergencia de mentalidad" provocada por el contacto asiduo entre los indígenas y los colonos brasileños, escribe Schmidt, "puede volverse fatal para el etnólogo que no busca, ante todo, cohabitar con los indios y compenetrarse de sus costumbres", ya que sólo conseguirá atisbar las formas de pensar adquiridas; en consecuencia, "sólo se consigue penetrar el verdadero lenguaje indígena cuando se está en su ambiente".[117] Toda una afirmación, a comienzos de siglo XX, del método etnográfico moderno.

3.c. Muerte en Asunción

Schmidt dedicó sus últimos años al infatigable trabajo en el museo de Asunción, a la enseñanza universitaria –ocupó las cátedras de etnología y etnografía en la Escuela Superior de Filosofía– y a la publicación de artículos en revistas de Brasil y Paraguay: largas reseñas históricas y etnográficas sobre los grupos chaqueños (en los cuales compila fuentes históricas, etnográficas y por lo general compara vocabularios recogidos por distintos investigadores), los resultados de sus estudios arqueológicos guaraníes y también algunas reseñas de sus viajes al Mato Grosso.[118] Tal vez resulte significativo que no volviera a publicar en alemán. Las noticias

que nos llegan sobre su vida en estos últimos años poseen un inevitable matiz melancólico; en ellas lo entrevemos ensimismado en sus tareas, en largas y solitarias jornadas en el Museo Etnográfico, o cultivando la silenciosa amistad de unas aves en el jardín de su casa.[119]

Recordemos en este punto el testimonio de Alfred Métraux, quien pasó algunos días en Asunción en el invierno de 1939, durante los cuales se entrevistó varias veces con Schmidt. Lo encontró por primera vez en su "finca" rodeado de los ñandúes que criaba: "Me recibe calurosa y conmovedoramente, y me siento con nuevos bríos por estar con él en medio de buenos libros de etnografía".[120] También lo visitaría en el museo, donde pasarían una tarde examinando las colecciones. El joven y ambicioso Métraux –que había renunciado al cargo de director del Instituto de Etnología de Tucumán para proseguir una brillante carrera académica en Estados Unidos y en Francia– observa al silencioso y abnegado anciano con un patetismo casi involuntario, que no consigue reprimir:

> Voy sobre todo para estar en su biblioteca, en medio de sus libros tan familiares y cuya presencia me calma. Veo en él como un último lazo con el pasado, con Nordenskiöld, con los pioneros de América del Sur. El pobre viejo no tiene mucho para decirme pero está feliz de mostrarme sus fotografías y manuscritos. Me parece un poco el símbolo de mi destino si me hubiera quedado en Tucumán. No tiene un aire desdichado, la soledad casi no le pesa, y mi piedad no es más que subjetiva.[121]

Tal vez para conjurar estas sensaciones, en el barco que lo alejaba de Asunción Métraux escribiría una reseña del Museo Etnográfico que en realidad era la excusa para rendir un homenaje a Schmidt, y acaso un intento por compensar lo que entendía como un injusto olvido. Allí lo presentaba como un "gran sabio y audaz explorador", que "en lugar de gozar de un merecido reposo, recorre todavía las rutas del Chaco para recoger colecciones, anotar vocabularios, y está

---

116. Su colega Ehrenreich sintetizaba este criterio: "Lenguas iguales o conectadas indican siempre, cuanto menos, relaciones de vecindad prolongadas de las respectivas tribus y, por lo general, parentesco de sangre" (Ehrenreich 1897: 11). Esto implicaba un rigor lingüístico que excedía la simple recolección de vocabularios: "El método estricto de los estudios lingüísticos exige con razón la prueba de concordancia gramatical, con el objeto de determinar el parentesco lingüístico; entretanto, nuestro material se ha limitado hasta hoy casi exclusivamente a vocabularios escasos y mal transcriptos" (Ehrenreich 1892: 20).

117. Schmidt 1942b: 203. Hay que decir que Schmidt también muestra una considerable agudeza lingüística para la época, sin confundir –por ejemplo– la conceptuación con la lexicalización: "Es un error inferir del vocabulario de números de un pueblo su grado de habilidad con los números" (Schmidt 1926: 157).

118. Schmidt 1932, 1936a, 1936b, 1940a, 1942a, 1943, 1947a, 1947b, 1947c.

119. Si bien no llegó a conocer a Schmidt en Asunción, Susnik ofrece una pequeña semblanza de esas jornadas de trabajo: "el hombre que se contentaba con un plato de arvejas por día, seguía inclinado sobre los numerosos pedazos de urnas rotas dándoles la forma correspondiente, interrumpido de vez en cuando por la amistosa charla del Dr. Barbero" (Susnik c.1968).

120. Métraux 1978: 93.

121. Métraux 1978: 102.

example, in recording everyday discourse of no intrinsic importance was directed, in his own words, at "inferring the mentality" of the indigenous speakers. Once again, the ideal of acquiring ethnological knowledge is clear, as is a consciousness of the difficulties involved. Regular contact with Brazilian colonists produced a "divergence of mentality" which, as Schmidt wrote, "can be fatal for the ethnologist who does not seek above all to live with the Indians and immerse himself in their customs". All that is gleaned are acquired modes of thought. Schmidt therefore insisted that "the real indigenous language can be known in depth only in its own environment"—a statement made at the beginning of the twentieth century which anticipates modern ethnographic methods.[117]

3.c. Death in Asunción

Schmidt's last years were devoted to his academic activities. He continued his indefatigable work in the Ethnographic Museum in Asunción, lectured at the Philosophy High School (where he was professor of Ethnology and Ethnography), and published in Brazilian and Paraguayan journals. His publications ranged from the results of his archaeological studies of Guaraní culture to accounts of his fieldtrips to the Mato Grosso. He also wrote long articles in which he compiled ethnographic and historical sources on the Chaco peoples, generally including comparative studies of vocabularies recorded by different researchers.[118] It is perhaps significant that he never again published in German. Reports on the last years of his life are invariably tinged with melancholy. They give a glimpse of a man absorbed in his work, spending long, solitary hours in the museum or cultivating the quiet company of birds in his garden.[119]

An invaluable testimony is that of Alfred Métraux, who spent a few days in Asunción in the winter of 1939 and saw Schmidt on a number of occasions. Their first meeting took place at Schmidt's rural residence, where Métraux found him surrounded by the rheas he raised: "He receives me warmly and movingly, and I feel reinvigorated for being with him amidst good ethnographic books."[120] He also visited Schmidt in the museum, where together they spent an afternoon examining the collection. Métraux had recently given up his post as director of the Ethnology Institute in Tucumán (Argentina) and would soon embark on a successful academic career in the United States and in France. Observing the taciturn, ascetic old man, the ambitious young Frenchman remarked with a pathos that was as undisguised as it was unpremeditated:

> I go to see him mainly to be in his library, among his books which are so familiar to me and whose presence calms me. I see in him, as it were, a last link with the past, with Nordenskiöld and the pioneer ethnographers of South America. The poor old man hasn't much to say to me, but he is happy to show me his photographs and his manuscripts. He is rather like a symbol of what my destiny would have been, had I remained in Tucumán. He doesn't give the appearance of being miserable; his solitude is not a burden to him; and my sense of piety is but a subjective reaction on my part.[121]

On board the ship in which he departed from Asunción, Métraux—in order, perhaps, to expunge those feelings—wrote a piece about the Ethnographic Museum. In reality, it was a pretext for paying homage to Schmidt, if not also an attempt to redress what he understood as the neglect from which Schmidt's work unjustly suffered. He presented Schmidt as a "great sage and bold explorer" who, "instead of enjoying a well-deserved retirement, still treads the byways of the Chaco on the trail of wordlists and museum pieces. Whenever a Guaraní urn is disinterred, he is always at the site." He concluded with an appeal to the scientific community: "the museum which it is my pleasure to eulogize is the product of the selfless service he has done it, solely and simply for the love of science. May others pledge their support to this homage."[122]

117. Schmidt 1942b: 203. Schmidt's linguistic analysis was remarkably advanced for his time. He avoided falling prey, for example, to the conflation of lexical form and conceptual content: "It is an error to infer a people's numeracy from the numerical taxa that it verbalizes" (1926: 157).

118. Schmidt 1932, 1936a, 1936b, 1940a, 1942a, 1943, 1947a, 1947b, 1947c.

119. Although they never met, Susnik (circa 1968) gives a glimpse of Schmidt's working day in Asunción: "On his daily diet of a plate of peas, he remained huddled over fragments of broken urns, restoring them to their appropriate form, with occasional interludes in the form of friendly exchanges with Dr Barbero."

120. Métraux 1978: 93.

121. Métraux 1978: 102.

122. Métraux 1940: 100. In addition to the admiration that Métraux may have felt for Schmidt's work, he was no doubt reminded by him of his own teacher, Erland Nordenskiöld, for whom Métraux felt great affection. Curator of the Ethnographic Museum of Gothenburg until his death in 1932, Nordenskiöld subscribed to a work ethic that Schmidt himself incarnated: total dedication to the museum, unswerving empiricism, commitment to firsthand knowledge gained through fieldwork—even a certain cordial misanthropy.

en el lugar cada vez que una urna guaraní es desenterrada"; concluía realizando un llamado de atención a la comunidad científica: "el Museo que tengo el placer de elogiar es producto de su abnegación y su amor simple y verdadero por la ciencia; ojalá otros se sumen a este homenaje".[122]

En estos últimos años, las enfermedades –que siempre había descuidado– comenzaban finalmente a cobrarse la vieja deuda: solo, enfermo, privado del dinero de su jubilación, atacado por la lepra, Max Schmidt murió el 26 de octubre de 1950.[123] Sobre su tumba, en un apartado cementerio de Asunción, se yergue un monolito adornado con los grabados del Morro do Triumpho que tanto estimaba y una frase precisa: *Per silvas pro homines et scientia.* Igualmente emotiva es la nota necrológica que el etnólogo alemán Herbert Baldus –también exiliado en Sudamérica– publicaba en San Pablo, que ofrecía una semblanza personal de Schmidt e incluía una viñeta sobre su vida en Asunción:

> Evocando al hombre, al ser humano llamado Max Schmidt, me viene una sonrisa ligeramente melancólica. Era de esas personas que, siendo muy altas, no quieren mostrar su altura, y nunca andan con la frente alta. El volumen de 1947 de la Revista del Museu Paulista reproduce una fotografía en la cual, al lado de varios adultos, parece un gigante –aunque un gigante bastante flaquito. Era, en todo, el opuesto del lujoso. En el traje gastado que usaba en Berlín había manchas de grasa, y nadie recordaba en que época habían aparecido. En la alimentación, Schmidt era extremadamente sobrio, y cuando era profesor de la universidad y alto funcionario del museo, se contentaba con un plato de arvejas en un restaurante barato como un estudiante pobre (...) Cuando lo visité, en 1933, en su casita cerca de Asunción, lo encontré almorzando en la misma mesa con un niñito paraguayo, su criado. El ambiente era animado por algunas crías de pavo a las cuales dedicaba gran cariño. No sé si Max Schmidt tuvo mucha felicidad durante su larga existencia. ¡Espero que sí![124]

Lejos del sentimentalismo de estos testimonios, Branislava Susnik –su sucesora en la dirección del Museo– prefirió hallar en la fragmentaria biografía de su antecesor una clave virtuosa e inflexible: "Schmidt buscaba al hombre de la naturaleza y lo prístino de la vida; sujetó su propia vida a esta búsqueda".[125] La piedad de Métraux era en efecto sólo subjetiva; lejos de merecer compasión, la estoica vida de Max Schmidt debía ser admirada: "el hombre muere, la obra queda, y el recuerdo obliga a la continuidad, y esta obligación debe convertirse en la máxima de nuestro Museo".[126] Más que reseñar los logros de una carrera científica, las páginas que anteceden han procurado ante todo evocar esa búsqueda íntima de Schmidt, apasionada, obstinada, desinteresada, indiferente a las calamidades –y a veces, mientras navegaba en una canoa bacairí o remedaba las danzas guató, seguramente dichosa.

—*Diego Villar y Federico Bossert*

122. Métraux 1940: 100. A la admiración que pudiera despertar en él la obra de Schmidt, seguramente se añadía el recuerdo de su querido maestro Erland Nordenskiöld, quien hasta su muerte en 1932 había sido intendente del Museo Etnográfico de Gotemburgo, y cuya ética de trabajo (la absoluta dedicación al museo, el riguroso empirismo, la exaltación del conocimiento directo en el campo e incluso la cordial misantropía) Schmidt evocaba directamente.

123. Baldus afirma incluso que a causa de la enfermedad Schmidt "llegó a un estado de sufrimiento en el que desde hacía un tiempo deseaba la muerte" (Baldus 1951: 254). Susnik agrega una nota sobre las cavilaciones de Schmidt en sus últimos años: "Un mal físico lento y cruel comenzó a atacarlo, y su estado de sufrimiento acentuó su melancolía. Sus amigos, el Prof. Baldus y el Dr. Barbero, sabían que deseaba la muerte. Entre sus libros con fecha de esta época se encuentra (...) la Biblia, cuyas páginas donde están los Salmos manifiestan que las manos de un hombre debían repasarlos con suma frecuencia" (Susnik c.1968).

124. Baldus 1951: 257-258.

125. Susnik 1991: 12.

126. Susnik circa 1968.

Illnesses that had for years gone unattended began finally to take their toll. Max Schmidt died on 26 October 1950, ailing, alone, without a pension and in the throes of leprosy.[123] Buried in an out-of-the-way graveyard in Asunción, his tombstone is adorned with two engravings: a reproduction of the Morro do Triumpho rock-carvings he held in such high esteem and the inscription *Per silvas pro homines et scientia* ("Through forests for man and science"). Equally emotive is the obituary published (in San Pablo) by his friend Herbert Baldus, likewise a German ethnologist exile in South America. His portrait of the man includes an image of his life in Asunción:

> The evocation of the memory of the man, the human being, who went by the name Max Schmidt brings with it a slightly melancholic smile. He was one of those persons who are very tall but hide their height, because they never hold their head up high. The 1947 volume of the *Revista do Museu Paulista* reproduces a photograph in which a giant—albeit one on the thin side—appears alongside a group of adults. He was, in every sense, the opposite of self-indulgent. No one could remember when the cooking-oil stains first appeared on the threadbare suit he had been wearing since Berlin. His diet was meagre in the extreme. Even as university professor and museum dignitary, he was content to eat a plate of peas in a cheap restaurant, like a poor student [...]. When I visited him in his little abode outside Asunción in 1933, he was having lunch with a young Paraguayan boy he had adopted. The atmosphere was enlivened by turkey chicks, to which he devoted great affection. I know not whether Max Schmidt's long life had its share of happiness. I only hope so![124]

Schmidt's successor as museum director, Branislava Susnik, was unsentimental in her appraisal of him. For her, the key to his fragmentary biography lay in its austere virtue: "Schmidt committed his life to the search

for natural man and pristine life."[125] By that criterion, the pity felt by Métraux had indeed been subjective, as Max Schmidt's stoic life deserved admiration rather than compassion: "the man dies but his work remains, and his memory is a compromise with continuity. That compromise must become the maxim of our museum."[126] Our aim here has been not so much to review the achievements of Schmidt's career as a scientist, but rather to recreate that lifelong search, a search that was at once passionate, relentless, selfless, undeterred by difficulties and on occasion—while canoeing in a Bacairí pirogue or partaking of a Guató dance—surely joyous.

—Diego Villar and Federico Bossert

---

123. Baldus (1951: 254) goes so far as to state that, on account of his illness, Schmidt "suffered to the point where for some time he desired death". On the ruminations that marked his last years, Susnik (circa 1968) adds: "He began to be affected by a physical ailment, slow and cruel, and his suffering increased his melancholy. His friends, Professor Baldus and Dr Barbero, knew that he desired death. Among the books with which he consoled himself was included [...] the Bible. The Book of Psalms shows signs of having been read many times."

124. Baldus 1951: 257-58.

125. Susnik 1991: 12.

126. Susnik circa 1968.

fig. 21

Fotos | Photos

Mato Grosso

1. Dos hombres guatós del Río Caracará (1910–11)
Two Guató men of the Caracará River (1910–11)

2. Canoas y remeros guatós del Río Caracará (1910–11)
Guató boatmen and their pirogues on the Caracará River (1910–11)

3. Dos hombres guatós de la Bahía de Caracará despellejando monos (1910–11)
Two Guató men of Caracará Bay skinning monkeys (1910–11)

4. El cacique guató Caetano en una piragua durante la creciente (Río Caracará, 1910–11)
Guató headman Caetano in a pirogue during the flood season (Caracará River, 1910–11)

5. Tres hombres guatós del Río Caracará (1910–11)
Three Guató men of the Caracará River (1910–11)

6. Max Schmidt con el jefe guató Caetano (Río Caracará, 1910–11)
    Schmidt with Guató headman Caetano (Caracará River, 1910–11)

7. El acompañante guató de Max Schmidt (Río Caracará, 1910–11)
Max Schmidt's Guató companion (Caracará River, 1910–11)

8. Descansando con los guatós a orillas del Caracará (1910–11)
   Resting with Guató on the banks of the Caracará (1910–11)

D201-48

9. Un grupo de kozarini-paresís frente a una casa en Zagurigatse (Río Cabaçal, 1910-11)
   A group of Kozarini-Paresí in front of a lodge in Zagurigatse (Cabaçal River, 1910-11)

10. *Maloca* comunal de los kozarini–paresís (Uarimiri, 1910–11)
Kozarini–Paresí communal maloca lodge (Uarimiri, 1910–11)

11. Niños kozarini-paresís navegando en piraguas (Uazirimi, 1910–11)
Kozarini-Paresí children on the water in dugouts (Uazirimi, 1910–11)

12. Campamento de Max Schmidt en una aldea kozarini-paresí (Uaririmi, 1910–11)
Max Schmidt's camp in a Kozarini-Paresí village (Uaririmi, 1910–11)

13. *Maloca* comunal kozarini–paresí (Uaririmi, 1910–11)
Kozarini-Paresí communal maloca lodge (Uaririmi, 1910–11)

14. Mujer kozarini-paresí con sus hijos (Uaririmi, 1910–11)
Kozarini-Paresí woman with her children (Uaririmi, 1910–11)

15. Niños kozarini-paresís bañándose (Kalugare, 1910−11)
Kozarini-Paresí children bathing (Kalugare, 1910−11)

16. Juego de pelota de niños kozarini-paresís (Kalugare, 1910–11)
Kozarini–Paresí children playing a ball game (Kalugare, 1910–11)

17. Mujeres y niñas kozarini-paresís (1910–11)
Kozarini-Paresí women and girls (1910–11)

18. Niños kozarini-paresís bañándose (Kalugare, 1910–11)
Kozarini-Paresí children bathing (Kalugare, 1910–11)

19. El cacique kozarini-paresí Makazore, junto a su hija Juruena (1910–11)
Kozarini-Paresí headman Makazore with his daughter Juruena (1910–11)

20. Mujer kozarini-paresí (Uazirimi, 1910–11)
Kozarini-Paresí woman (Uazirimi, 1910–11)

21. Casa paresí en Utiarití (1927–28)
Paresí lodge in Utiarití (1927–28)

22. Escuela nativa entre los paresís (1927–28)
Native school among the Paresí (1927–28)

23. Dos muchachos umotinas en una plantación (Masepo, 1927–28)
Two Umotina boys on a crop site (Masepo, 1927–28)

24.-25. Criollos cruzando el Río Tebicuary (1910–11)
Creoles crossing the Tebicuary River (1910–11)

26. El servicial umotina Kodonepa, sobrino del cacique Kaimanepa (Masepo, 1927–28)
Kodonepa, the helpful nephew of the Umotina headman Kaimanepa (Masepo, 1927–28)

27. Mujer umotina con su red de pescar *bukyé* (Masepo, 1927–28)
Umotina woman with *bukyé* fishing net (Masepo, 1927–28)

28. El viejo cacique umotina Kaimanepa (Masepo, 1927–28)
The old Umotina headman Kaimanepa (Masepo, 1927–28)

29. Un grupo de kayabis contactados por el Servicio de Protección de Indios (Puesto Pedro Dantas, 1927)
A group of Kayabi contacted by the Indian Protection Service (Puesto Pedro Dantas, 1927)

30. Hombres kayabis llevando cuencos con porotos (Puesto Pedro Dantas, 1927)
Kayabi men carrying bowls with beans (Puesto Pedro Dantas, 1927)

31. Max Schmidt descansando durante su primer viaje (Río Novo, 1900)
Max Schmidt resting on his first fieldtrip (Novo River, 1900)

32. Muchacho paresí-kabichi (1910)
Kabichi-Paresí youth (1910)

33. El campo en la Sierra de Paresí (Río Jauru, sin fecha)
Sierra Paresí plain (Jauru River, undated)

Chaco

34. Cacique isoseño (guaraní) con su familia (cerca de Fortín Toledo, 1935)
Isoseño (Guaraní) headman with his family (near Fort Toledo, 1935)

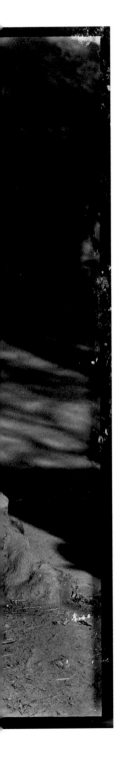

35. Dos niños chorotes (cerca de Cururenda, 1935)
Two Chorote children (near Cururenda, 1935)

36. Max Schmidt (centro) con un grupo de militares paraguayos entre los isoseños (Fortín Toledo, 1935)
Max Schmidt (centre) with a group of Paraguayan soldiers among the Isoseño (Fort Toledo, 1935)

37. Choza chiriguana con tinajas de arcilla utilizadas para preparar bebidas fermentadas y enterrar a los difuntos (Machareti, 1935)
Chiriguano lodge with earthenware vessels used for preparing fermented drink and for burying the dead (Machareti, 1935)

38. Mujeres con *tipoy* (vestimenta tradicional) y niños frente a una choza (Machareti, 1935)
Women wearing *tipoy* (traditional tunic) and children in front of a lodge (Machareti, 1935)

39. Granero chiriguana—"casa del maíz" (Macharetí, 1935)
Chiriguano granary—"maize house" (Macharetí, 1935)

40. Muchachos chiriguanos con sombreros (Machareti, 1935)
Chiriguano boys with hats (Machareti, 1935)

41. Hombres chiriguanos con atuendo criollo, algunos de ellos con *tembeta*—adorno labial tradicional (cerca de Fortín Toledo, 1935)
Chiriguano men in creole attire, some with traditional *tembeta*—traditional chin-plugs (near Fort Toledo, 1935)

42. Mujeres wichí guisnais (cerca de Fortín Linares, 1935)
Guisnai Wichí women (near Fort Linares, 1935)

43. Escena cotidiana con baqueano y perro frente a una choza wichí guisnai (cerca de Fortín Linares, 1935)
Everyday scene with guide and dog in front of a Guisnai Wichí lodge (near Fort Linares, 1935)

44. Anciano wichí guisnai con bastón, ataviado con una combinación de saco europeo
y chiripá (Fortín Linares, 1935)
Guisnai Wichí elder with walking stick, wearing a combination of European jacket
and traditional *chiripá* wrap (Fort Linares, 1935)

45. Mujer wichí guisnai con *chiripá* y una honda (cerca de Fortín Linares, 1935)
Guisnai Wichí woman wearing *chiripá* wrap, with slingshot (near Fort Linares, 1935)

46. Wichí guisnais con vestimenta criolla y faldas largas (cerca de Cururenda, 1935)
Guisnai Wichí in creole clothes and long skirts (near Cururenda, 1935)

47. Mujeres y niños wichí guisnais. Algunos llevan sandalias de tipo *ojota* de cuero (cerca de Fortín Linares, 1935)
Guisnai Wichí women and children. Some wear hide *ojota* sandals (near Fort Linares, 1935)

48. Pescador nivaclé (Laguna Escalante, 1935)
Nivaclé fisherman (Laguna Escalante, 1935)

49. Anciano nivaclé con sombrero, aros, collares, pulseras, bolso de cuero y *chiripá* tejido en telar (Esteros, 1935)
Nivaclé elder wearing hat, earrings, necklaces, bracelets, hide shoulder bag, and loom–woven *chiripá* wrap (Esteros, 1935)

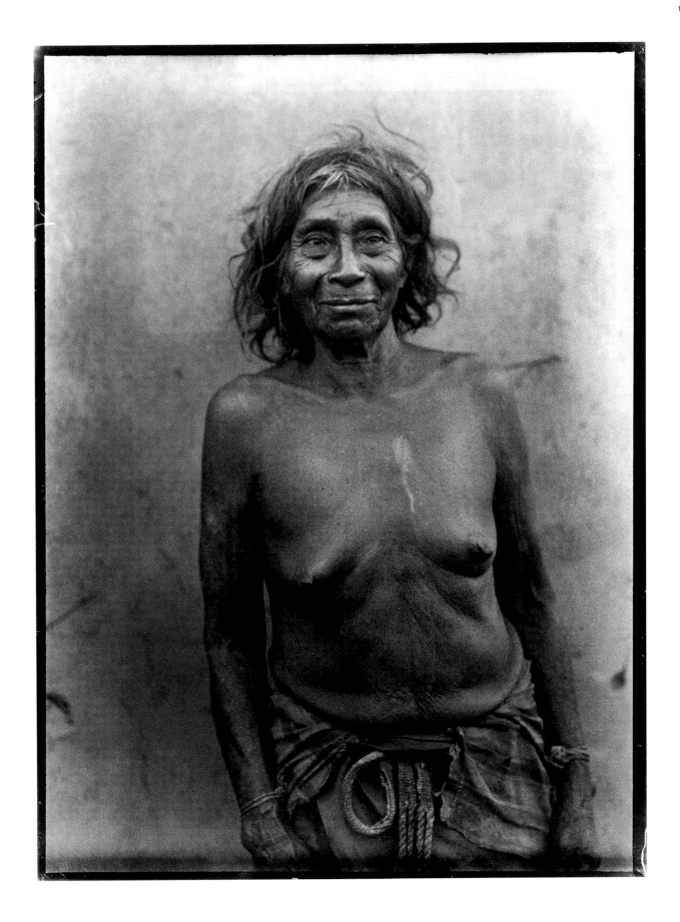

50. Anciana nivaclé (Esteros, 1935)
Female Nivaclé elder (Esteros, 1935)

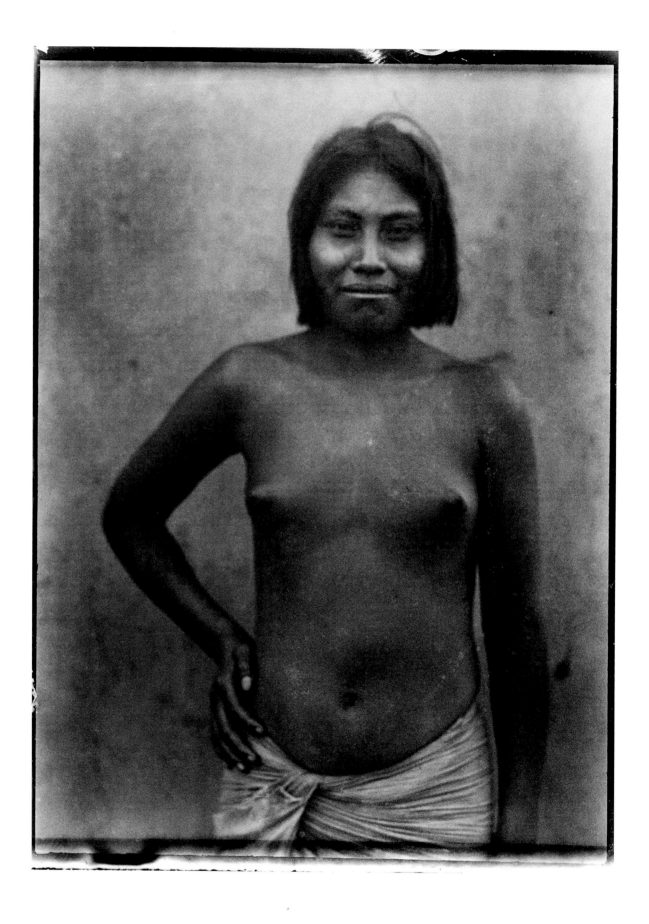

51. Muchacha nivaclé (Esteros, 1935)
Nivaclé girl (Esteros, 1935)

52. Mujer nivaclé con sus niños (Esteros, 1935)
Nivaclé woman with her children (Esteros, 1935)

53. Mujer nivaclé con su niño (Esteros, 1935)
Nivaclé woman and child (Esteros, 1935)

54. Mujer nivaclé con cuenco de calabaza y *vincha* (Esteros, 1935)
Nivaclé woman with gourd, wearing *vincha* headband (Esteros, 1935)

55. Muchachitos nivaclés con hondas (Esteros, 1935)
Nivaclé youngsters with slingshots (Esteros, 1935)

56. Mujer nivaclé tejiendo una manta en su telar (Esteros, 1935)
Nivaclé woman weaving a blanket on her loom (Esteros, 1935)

57. Toldería nivaclé (Esteros, 1935)
Nivaclé camp (Esteros, 1935)

58. Niños nivaclés (Esteros, 1935)
Nivaclé children (Esteros, 1935)

59. Mujeres y niños nivaclés (Esteros, 1935)
   Nivaclé women and children (Esteros, 1935)

60. Toldería nivaclé (Esteros, 1935)
Nivaclé camp (Esteros, 1935)

61. Dos niños nivaclés frente a su casa (Esteros, 1935)
Two Nivaclé children in front of their home (Esteros, 1935)

62. Una familia nivaclé frente a su casa. El hombre lleva adornos auriculares y plumarios;
la mujer fabrica una vasija de arcilla (Esteros, 1935)
A Nivaclé family in front of its home. The man wears ear adornments and feathers;
the woman fashions an earthenware vessel (Esteros, 1935)

63. Un matrimonio chorote con su hijo frente a la choza de paja tradicional (Esteros, 1935)
Chorote husband and wife with child in front of the traditional grass lodge (Esteros, 1935)

64. Niños chorotes con una mezcla de vestimentas tradicionales y modernas (cerca de Cururenda, 1935)
Chorote children wearing a mixture of traditional and modern clothing (near Cururenda, 1935)

65. Niños chorotes (cerca de Cururenda, 1935)
Chorote children (near Cururenda, 1935)

66. Niños chorotes junto a hombre en reposo (cerca de Cururenda, 1935)
Chorote children with adult at rest (near Cururenda, 1935)

67. Retrato de un chorote con saco, *chiripá y vincha* (cerca de Cururenda, 1935)
Portrait of a Chorote wearing a jacket, *chiripá* wrap, and *vincha* headband (near Cururenda, 1935)

68. Chorote con taparrabos y sandalias *ojota* de cuero (1935)
Chorote wearing a loincloth and hide *ojota* sandals (1935)

69. Max Schmidt y el teniente Cabello junto a tapietes del grupo "Toldería I" (a 16 km. de Fortín Oruro, 1935)
Max Schmidt and Lieutenant Cabello with Tapiete from the lodge–group "Toldería I" (16 km from Fort Oruro, 1935)

70. Mujer tapiete del grupo "Toldería II", con fogata y olla (a 30 km. de Fortín Oruro, 1935)
Tapiete woman from lodge–group "Toldería II," tending cooking pot on open fire
(30 km from Fort Oruro, 1935)

71. Mujer tapiete del grupo "Toldería II" tejiendo una faja (a 30 km. de Fortín Oruro, 1935)
Tapiete woman from lodge–group "Toldería II," weaving a sash (30 km from Fort Oruro, 1935)

72. Muchacho tapiete del grupo "Toldería II" con arco y flecha (a 30 km. de Fortín Oruro, 1935)
Tapiete boy from lodge–group "Toldería II" with bow and arrow (30 km from Fort Oruro, 1935)

73. Campamento de tapietes del grupo "Toldería II" (a 30 km. de Fortín Oruro, 1935)
Encampment of Tapiete from lodge-group "Toldería II" (30 km from Fort Oruro, 1935)

74. Cacique tapiete del grupo "Toldería I" engalanado a la criolla (a 16 km. de Fortín Oruro, 1935)
Tapiete headman from lodge-group "Toldería I" in creole apparel (16 km from Fort Oruro, 1935)

75. Dos tapietes del grupo "Toldería I" con adorno labial *tembeta* (a 16 km de Fortín Oruro, 1935)
Two Tapiete from lodge-group "Toldería I" with traditional *tembeta* chin-plugs (16 km from Fort Oruro, 1935)

76. Toba con cinturón de monedas (1914)
Toba with money belt (1914)

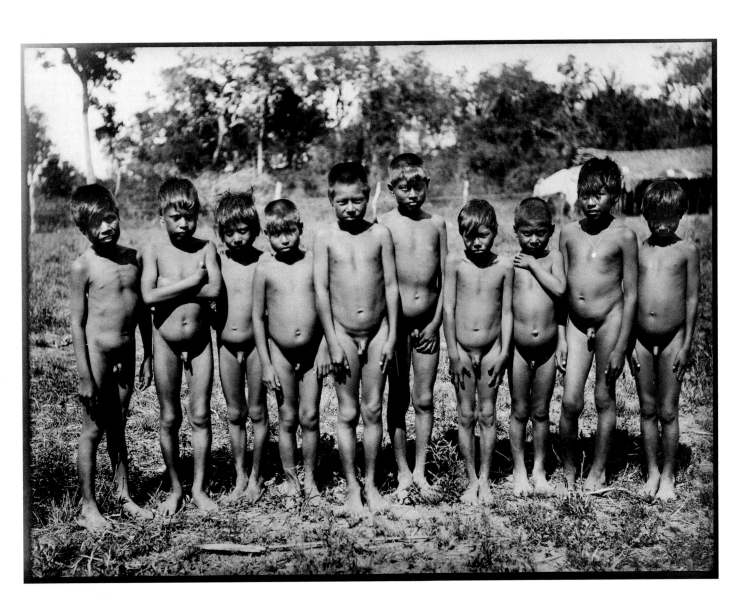

77. Niños tobas (Clorinda, 1914)
Toba children (Clorinda, 1914)

78. Toldería toba (Clorinda, 1914)
Toba camp (Clorinda, 1914)

79. Mujeres y niños tobas protegiéndose del sol (Clorinda, 1914)
Toba women and children protecting themselves from the sun (Clorinda, 1914)

80–81. Niños makás con su madre (cerca de Colonia Monte Sociedad, hoy Villa Benjamín Aceval, 1931)
Maká children with their mother (near Colonia Monte Sociedad, now known as Villa Benjamín Aceval, 1931)

82. El jefe maká Naoi (cerca de Colonia Monte Sociedad, hoy Villa Benjamín Aceval, 1931)
Maká headman Naoi (near Colonia Monte Sociedad, now known as Villa Benjamín Aceval, 1931)

Bibliografía |
Bibliography

Andriolo, Karin

1979 "Kulturkreislehre and the Austrian Mind", *Man* (n.s.) 14 (1): 133-44.

Baldus, Herbert

1968 *Bibliografia crítica da etnologia brasileira. Volume II*. Hannover: Kommissionsverlag Münstermann-Druck.

1954 *Bibliografia crítica da etnologia brasileira*. São Paulo: Comissão do IV Centenário da cidade de São Paulo.

1951 "Max Schmidt 1874-1950", *Revista do Museu Paulista* (n.s.) 5: 253-60.

1950 "Max Schmidt (1874-1950)", *Boletín Bibliográfico de Antropología Americana* 13 (1): 309-12.

1945 "Curt Nimuendajú", *Boletim bibliografico* 8: 91-99.

Baldus, Herbert & Juan Francisco Recalde

1943 "Ensayo sobre Historia de la Etnología Brasileña", *Revista Mexicana de Sociología* 5 (2): 171-83.

Becquelin, Pierre

1993 "Arqueologia Xinguana". V. Penteado Coelho (ed.), *Karl von den Steinen: Um Século de Antropologia no Xingu*, São Paulo: Editora da Universidade de São Paulo: 223-32.

Boas, Franz

1996 [1887] "The Study of Geography". G. W. Stocking, *Volksgeist as Method and Ethic. Essays on Boasian Ethnography and the German Anthropological Tradition*, Madison - London: University of Wisconsin Press: 9-16.

Bunzl, Matti

1996 "Franz Boas and the Humboldtian Tradition: From *Volksgeist* and *Nationalcharakter* to an Anthropological Concept of Culture". G. W. Stocking, *Volksgeist as Method and Ethic. Essays on Boasian Ethnography and the German Anthropological Tradition*, Madison and London: University of Wisconsin Press: 17-78.

Calavia Sáez, Oscar

2005 "La fábula de las tres ciencias. Antropología, etnología e historia en el Brasil", *Revista de Indias* 65 (234): 337-54.

Conte, Edouard & Cornelia Essner

1994 "Völkerkunde et nazisme, ou l'ethnologie sous l'empire des raciologues". *L'Homme*, 129: 147-73.

Désveaux, Emmanuel

2007 *Spectres de l'anthropologie. Suite nord-américaine*. Paris: Au lieux d'être.

Ehrenreich, Paul

1892 "Divisão e distribuição das tribus do Brasil segundo o estado actual dos nossos conhecimentos", *Revista da Sociedade de Geographia do Rio de Janeiro* 8 (1): 3-55.

Fiedermutz-Laun, Annemarie

2004 "Adolf Bastian, Robert Hartmann et Rudolf Virchow: médecins et fondateurs de l'ethnologie et de l'anthropologie allemandes". C. Trautmann-Waller (coord.), *Quand Berlin pensait les peuples. Anthropologie, ethnologie et psychologie (1850-1890)*. Paris: CNRS: 61-76.

Frank, Erwin

2010 "Objetos, imagens e sons: a etnografia de Theodor Koch-Grünberg (1872-1924)", *Boletim do Museu Paraense Emílio Goeldi* 5 (1): 153-71.

2005 "Viajar é preciso: Theodor Koch-Grünberg e a *Völkerkunde* alemã do século XIX", *Revista de Antropologia* 48 (2): 559-84.

Gillin, John

1940 "Some Anthropological Problems of the Tropical Forest Area of South America", *American Anthropologist* 42 (4-1): 642-56.

Gingrich, Andre

2005 "The German-Speaking Countries". F. Barth, A. Gingrich, R. Parkin, S. Silverman, *One Discipline, Four Ways: British, German, French, and American Anthropology*. Chicago and London: University of Chicago Press: 59-153.

Haekel, Josef

1959 "Trends and Intellectual Interests in Current Austrian Ethnology", *American Anthropologist* (n.s.) 61 (5): 865-74.

Hartmann, Günther

1993 "As Coleções de Karl von den Steinen no Museu Etnológico de Berlim". V. Penteado Coelho (org.), *Karl von den Steinen: Um Século de Antropologia no Xingu*, São Paulo: Editora da Universidade de São Paulo: 153-80.

Heckenberger, Michael

2005 *The Ecology of Power: Culture, Place and Personhood in the Southern Amazon, AD 1000-2000*. London: Routledge.

2002 "Rethinking the Arawakan diaspora: hierarchy, regionality and the Amazonian formative". Jonathan Hill & Fernando Santos Granero (eds.), *Comparative Arawakan histories. Rethinking languages family and cultural area in Amazonia*. Urbana: University of Illinois Press: 99-122.

Heckenberger, Michael & Eduardo Goés Neves

2009 "Amazonian Archaeology", *Annual Review of Anthropology* 38: 251-66.

Heine-Geldern, Robert

1964 "One Hundred Years of Ethnological Theory in the German-Speaking Countries: Some Milestones", *Current Anthropology* 5 (5): 407-18.

Hemming, John

2003 "A Fresh Look at Amazon Indians: Karl von den Steinen and Curt Nimuendajú, Giants of Brazilian Anthropology", *Tipiti: Journal of the Society for the Anthropology of Lowland South America* 1 (2): 162-78.

Herrmann, Wilhelm

1908 "Die ethnographischen Ergebnisse der Deutschen Pilcomayo-Expedition", *Zeitschrift für Ethnologie* 40: 120-37.

Hill, Jonathan & Fernando Santos Granero

2002 *Comparative Arawakan histories. Rethinking languages family and cultural area in Amazonia*. Urbana: University of Illinois Press.

Hornborg, Alf

1988 *Dualism and Hierarchy in Lowland South America. Trajectories of Indigenous Social Organization*. Stockholm: Almqvist & Wiksell.

Johnge, E. de

1906 M. Schmidt, "Indianerstudien in zentral Brasilien. Erlebnisse und ethnologische Ergebnisse einer Reise in den Jahren 1900-1901", *Journal de la Société des Américanistes* 3 (1): 109-13.

König, Viola

2007 "Adolf Bastian and the Sequel: Five Companions and Successors as Collectors for Berlin's Royal Museum of Ethnology". M. Fischer et al. (eds.), *Adolf Bastian and His Universal Archive of Humanity. The Origins of German Anthropology*, Hildesheim, Zurich, and New York: Georg Olms Verlag: 127-39.

Köpping, Klaus Peter

2005 *Adolf Bastian and the Psychic Unity of Mankind. The Foundations of Anthropology in Nineteenth Century Germany.* Münster: Lit Verlag.

Kraus Michael

2007 "Philological Embedments - Ethnological Research in South America in the Ambience of Adolf Bastian". M. Fischer et al. (eds.), *Adolf Bastian and His Universal Archive of Humanity. The Origins of German Anthropology*, Hildesheim, Zurich, and New York: Georg Olms Verlag: 140-53.

Lewerentz, Annette

2007 "Adolf Bastian and Rudolf Virchow in the Berlin Society of Anthropology, Ethnology and Prehistory. Changes in Chairmen and Scientific Discourse". M. Fischer et al. (eds.), *Adolf Bastian and His Universal Archive of Humanity. The Origins of German Anthropology*, Hildesheim, Zurich, and New York: Georg Olms Verlag: 83-100.

2004 "Les premières années de la *Société berlinoise d'anthropologie, d'ethnologie et de préhistoire*". C. Trautmann-Waller (coord.), *Quand Berlin pensait les peuples. Anthropologie, ethnologie et psychologie (1850-1890).* CNRS: Paris: 41-60.

Lévi-Strauss, Claude

1963 "The Tribes of the Upper Xingu River". J. H. Steward (ed.), *Handbook of South American Indians*, Vol. 3, New York: Cooper Square Publishers: 321-48.

Lowie, Robert H.

1937 *The History of Ethnological Theory.* New York: Farrar & Rinehart.

Martin, Ch. A.

1919 M. Schmidt, "Die Paressi-Kabisi. Ethnologische Ergebnisse der Expedition zu den Quellen des Jauru und Juruena im Jahre 1910", *Journal de la Société des Américanistes* 11 (1): 315-17.

Massin, Benoit

1996 "From Virchow to Fischer: Physical Anthropology and 'Modern Race Theories' in Wilhelmine Germany". G. W. Stocking, *Volksgeist as Method and Ethic. Essays on Boasian Ethnography and the German Anthropological Tradition*, Madison and London: University of Wisconsin Press: 79-154.

Métraux, Alfred

1978 *Itinéraires 1. Carnets de notes et journaux de voyage*, Paris: Payot.

1948 "Anthropology in Germany", *American Anthropologist* (n.s.) 50 (1): 716-23.

1942 *The Native Tribes of Eastern Bolivia and Western Matto Grosso.* Washington: Smithsonian Institution, Bureau of American Ethnology, vol. 134.

1940 "Quelques jugements sur le musée ethnographique d'Asuncion". *Revista de la Sociedad Científica del Paraguay* 5 (1): 99-100.

Nimuendajú, Curt

1963 "The Cayabi, Tapanyuna, and Apiaca". J. H. Steward (ed.), *Handbook of South American Indians*, Vol. 3, New York: Cooper Square Publishers: 307-20.

Nordenskiöld, Erland

1930 "Nécrologie de Karl von den Steinen", *Journal de la Société des Américanistes* 22 (1): 220-27.

Oliveira, Jorge Eremites de

2003 "Los primeros pasos en dirección de una arqueología pantanera: de Max Schmidt y Branka Susnik hacia otras interpretaciones sobre los pueblos indígenas de las tierras bajas del Pantanal", *Suplemento Antropológico* 38 (2): 9-72.

Penny, H. Glenn

2007 "Transnational History in Historical Perspective: Bastian's Museum Project". M. Fischer et al. (eds.), *Adolf Bastian and His Universal Archive of Humanity. The Origins of German Anthropology*, Hildesheim, Zurich, and New York: Georg Olms Verlag: 50-54.

2003 "The Politics of Anthropology in the Age of Empire: German Colonists, Brazilian Indians, and the Case of Alberto Vojtěch Frič", *Comparative Studies in Society and History* 45 (2): 249-80.

2002 *Objects of culture. Ethnology and Ethnographic Museums in Imperial Germany.* Chapel Hill and London: The University of North Carolina Press.

Pfeffer, Georg

2007 "The History of Ethnology in Berlin. Berlin Liberalism from Virchow to the Present". M. Fischer et al. (eds.), *Adolf Bastian and His Universal Archive of Humanity. The Origins of German Anthropology*, Hildesheim, Zurich, and New York: Georg Olms Verlag: 77-82.

Pohlmeier Anne Marie von

1952 "Hochkulturelle Erscheinungen im Kulturbild der Aruak", *Zeitschrift für Ethnologie* 77 (2): 261-69.

Rebok, Sandra

2002 "La constitución de la investigación alemana sobre América Latina a finales del siglo XIX", *Revista de Indias* 62 (224): 195-222.

Rivet, Paul

1928 "Museum für Völkerkunde", *Journal de la Société des Américanistes* 20 (1): 422.

1927 "Expéditions allemandes en Amérique du Sud", *Journal de la Société des Américanistes* 19 (1): 422.

1921 "Institut ethnologique de Berlin", *Journal de la Société des Américanistes* 13 (1): 146.

1919 "Paul Ehrenreich", *Journal de la Société des Américanistes*, 11: 245-46.

Schaden, Egon

1993 "Pioneiros Alemães da Exploração Etnológica do Alto Xingu". V. Penteado Coelho (org.), *Karl von den Steinen: Um Século de Antropologia no Xingu*, Editora da Universidade de São Paulo: São Paulo: 109-30.

1955 "Karl von den Steinen e a etnologia brasileira". *Anais do XXXI Congreso Internacional de Americanistas*. São Paulo: 1153-63.

Schmidt, Max

1955 [1950] "Autobiografía de Max Schmidt", *Revista de Antropología* 3: 115-24.

1951 "Anotaciones sobre las plantas de cultivo y los métodos de agricultura de los indígenas sudamericanos", *Revista do Museu Paulista* (n.s.) 5: 239-52.

1949 "Los Payagua", *Revista do Museu Paulista* 2: 130-269.

1947a "Los Bakairí", *Revista do Museu Paulista* 1: 11-58.

1947b "Los Kayapó de Matto Grosso", *Revista do Museu Paulista* 1: 59-60.

1947c "Los Tamainde-Nambikuara", *Revista do Museu Paulista* 1: 65-74.

1943 "Los Paressís", *Revista de la Sociedad Científica del Paraguay* 6 (1): 1-67.

1942a "Resultados de mi tercera expedición a los guatós efectuada en el año 1928", *Revista de la Sociedad Científica del Paraguay* 5 (6): 41-75.

1942b *Estudos de Etnologia Brasileira. Peripécias de uma viagem entre 1900 e 1901. Seus resultados etnológicos.* São Paulo: Companhia Editora Nacional.

1942c "Los Kayabís en Matto-Grosso (Brasil)", *Revista de la Sociedad Científica del Paraguay* 5 (6): 1-39.

1942d "Los Iranches", *Revista de la Sociedad Científica del Paraguay* 5 (6): 35-40.

1941 "Los Barbados o Umotinas en Matto Grosso (Brasil)", *Revista de la Sociedad Científica del Paraguay* 5 (4): 1-42.

1940a "Hallazgos prehistóricos en Matto-Grosso", *Revista de la Sociedad Científica del Paraguay* 5 (1): 37-62.

1940b "Nuevos hallazgos de grabados rupestres en Matto-Grosso", *Revista de la Sociedad Científica del Paraguay* 5 (1): 63-71.

1940c "Vocabulario de la Lengua Churupí", *Revista de la Sociedad Científica del Paraguay* 5(1): 73-75.

1939 "Catálogo de la Colección Etnográfica del Museo de Historia y Etnografía (cont.)", *Revista de la Sociedad Científica del Paraguay* 4 (5): 49-62.

1938 "Los Chiriguanos e Izozós", *Revista de la Sociedad Científica del Paraguay* 5 (3): 1-115.

1937a "Los Guisnais", *Revista de la Sociedad Científica del Paraguay* 4 (2): 1-35.

1937b "Los Tapietés", *Revista de la Sociedad Científica del Paraguay* 4 (2): 36-67.

1936a "Los Makká en comparación de los Enimagá antiguos", *Revista de la Sociedad Científica del Paraguay* 3 (6): 152-57.

1936b "Los Guarayú", *Revista de la Sociedad Científica del Paraguay* 3 (6): 158-90.

1932 "Nuevos hallazgos prehistóricos del Paraguay", *Revista de la Sociedad Científica del Paraguay* 3 (3): 81-95.

1926 *The Primitive Races of Mankind. A Study in Ethnology.* London: George Harrap & Co.

1924 *Völkerkunde*, Berlin.

1922 "Die Anfänge der Bodenkultur in Südamerika", *Zeitschrift für Ethnologie* 54: 113-22.

1921 *Grundriss der ethnologischen Volkswirtschaftslehre. Der soziale Wirtschaftsprozess der Menschheit.* Stuttgart: Verlag von Ferdinand Enke.

1920 *Grundriss der ethnologischen Volkswirtschaftslehre. Die soziale Organisation der menschlichen Wirtschaft.* Sttutgart.

1917 *Die Aruaken. Ein Beitrag zum Problem de Kulturverbrietung.* Leipzig: Veit & Co.

1914a "Die Guató und ihr Gebiet. Ethnologische und archäologische Ergebnisse der Expedition zum Caracará-Fluss in Matto Grosso", *Baessler-Archiv* 4 (6): 251-83.

1914b "Die Paressí-Kabischi. Ethnologische Ergebnisse einer Expedition zu den Quellen des Jaurú und Juruena im Jahre 1910", *Baessler-Archiv* 4 (4-5): 167-250.

Schweitzer, Peter

2004 "No Escape From Being Theoretically Important: Hunter-Gatherers in German-Language Debates of the Late Nineteenth and Early Twentieth Centuries". A. Barnard (ed.), *Hunter-Gatherers in History, Archeaology and Anthropology.* Oxford and New York: Berg: 69-76.

Sociedad Científica del Paraguay

1930 "Fundación del Museo de Historia y Etnografía", *Revista de la Sociedad Científica del Paraguay*: 263-64.

Soler, Carlos Alberto

1977 *Andrés Barbero. Su vida y su obra.* Asunción: Fundación La Piedad.

Steward, Julian

1949 "South American Cultures: An Interpretative Summary". J. Steward (ed.), *Handbook of South American Indians*, vol. 5, Washington: Smithsonian Institution: 669-782.

Susnik, Branislava

1994 *Interpretación etnocultural de la complejidad sudamericana antigua: Formación y dispersión étnica.* Asunción: Museo Etnográfico Andrés Barbero.

1991 *Prof. Dr. Max Schmidt. Su contribución etnológica y su personalidad.* Asunción: Museo Etnográfico Andrés Barbero.

1984 "El aporte alemán a la Etnografía Paraguaya", *Suplemento Antropológico* 19 (1): 167-86.

1971 *El indio colonial del Paraguay III-1. El Chaqueño: Guaycurúes y Chanes-Arawak.* Asunción: Museo Etnográfico Andrés Barbero.

c. 1968 "Homenaje a Max Schmidt", Archivo del Museo Etnográfico Andrés Barbero, m.i.

Thieme, Inge

1993 "Karl von den Steinen: Vida e Obra". V. Penteado Coelho (org.), *Karl von den Steinen: Um Século de Antropologia no Xingu*, São Paulo: Editora da Universidade de São Paulo: 35-108.

Trautmann-Waller, Céline

2004 "Introduction". C. Trautmann-Waller (coord.), *Quand Berlin pensait les peuples. Anthropologie, ethnologie et psychologie (1850-1890).* Paris: CNRS: 9-24.

Unger, Elke

1984 "Reseña de los autores más representativos en la contribución alemana a la bibliografía paraguaya", *Suplemento Antropológico* 19 (2): 219-31.

Veríssimo de Melo, K.

1977 "Max Schmidt", *Revista de Atualidade Indígena* 1 (4): 51.

Voges, Hans

2004 "Un musée en situation: le Musée ethnologique de Berlin et le contexte colonial". C. Trautmann-Waller (coord.), *Quand Berlin pensait les peuples. Anthropologie, ethnologie et psychologie (1850-1890).* Paris: CNRS: 25-40.

Westphal-Hellbusch, Sigrid

1959 "The Present Situation of Ethnological Research in Germany", *American Anthropologist* (n.s.) 61 (5-1): 848-65.

Zimmerman, Andrew

2007 "*Diese unendlichen, sogenannten ethnologischen Bandwürmer Don Bombastians*: An Appreciation of Bastian's Writing in Light of the History of Science in Imperial Germany". M. Fischer et al. (eds.), *Adolf Bastian and His Universal Archive of Humanity. The Origins of German Anthropology*, Hildesheim, Zurich, and New York: Georg Olms Verlag: 45-49.

Zimmerman, Maurice

1900 "La seconde expédition Hermann Meyer aux sources du Xingu". *Annales de Géographie* 9 (46): 381-82.

1897 "L'exploration Hermann Meyer aux sources du Xingu". *Annales de Géographie* 6 (27): 288.